Lektürehilfen
Gerhart Hauptmann
„Die Ratten"

von Peter Haida

Ernst Klett Verlag

In der Klett-Reihe Editionen für den Literaturunterricht ist er-
schienen:
Gerhart Hauptmann, Die Ratten. Text und Materialien.
Materialien ausgewählt und eingeleitet von Anna Stroka.
Stuttgart 1983.
Klettbuch 35137

(Alle Seitenangaben zum Text beziehen sich auf diese Ausgabe)

Worterklärungen finden sich auf den Seiten 89 f.

CIP-Titelaufnahme der Deutschen Bibliothek

Haida, Peter:
Lektürehilfen Gerhart Hauptmann Die Ratten / von Peter
Haida. – 1. Aufl. – Stuttgart: Klett, 1989
  ISBN 3-12-922324-X

1. Auflage 1989
Alle Rechte vorbehalten
Fotomechanische Wiedergabe nur mit Genehmigung des Verlages
© Ernst Klett Verlag für Wissen und Bildung GmbH u. Co. KG,
Stuttgart 1989
Satz: Janß, Pfungstadt
Druck: Wilhelm Röck, Weinsberg
Einbandgestaltung: Hitz und Mahn, Stuttgart
ISBN 3-12-922324-X

Inhalt

Einleitung

›Die Ratten‹ sind eins der bedeutendsten Dramen der Jahrhundertwende, und das aus verschiedenen Gründen. Unter sozialen und psychologischen Gesichtspunkten interessiert der Fall der Frau John, einer kleinbürgerlichen Handwerkerfrau in der Großstadt, die im Begriff ist, mit ihrem Mann sozial in Richtung Bürgertum aufzusteigen. Sie fühlt sich einsam und sehnt sich nach einem Kind, bekommt aber keins mehr. Als sie sich eins zu verschaffen versucht, entwickelt sich daraus ein Kriminalfall mit Kindestausch und Totschlag und eine Familien- und Muttertragödie.

Das Thema: irregeleiteter Muttertrieb

Das Stück nimmt besonders die proletarische Unterschicht in den Blick, führt aber, konzentriert auf den Schauplatz in einem einzigen Haus, in einem soziologischen Querschnitt Figuren, Verhältnisse und Denkweisen der Wilhelminischen Zeit anhand der Geschichte der unglücklichen Maurersfrau vor.

Soziologischer Querschnitt, Zeitdarstellung

Literaturgeschichtlich steht es zwischen Naturalismus und Expressionismus. Hinter der Darstellung von determinierenden sozialen Faktoren führt es menschliche Grundsituationen auf einem mythischen Hintergrund vor. Gattungsmäßig handelt es sich um eine Tragikomödie, die Komisches und Tragisches zu einer neuen Einheit verschmilzt.

Spätnaturalistische Tragikomödie

In eigentümlicher Realisation enthält das Stück in ironischer Brechung auch spezifische Themen der Jahrhundertwende: das Thema des Mitleids mit den Erniedrigten und Entrechteten, den Kunst-Leben-Gegensatz, das Motiv von Künstler und Bürger und die Thematik des Verfalls, von dem die ganze Gesellschaft, einschließlich der auf den ersten Blick positiven Figuren erfaßt ist.

Jahrhundertwende-Themen

Sehr spät erst ist die Bedeutung des Dramas, das bei seiner Uraufführung zunächst wenig Erfolg hatte, erkannt worden.

5

Der inhaltliche Aufbau

Erster Akt

Im ersten Akt treffen die wichtigsten Personen des Stücks auf einem Dachboden zusammen, bzw. sie müssen einander aus dem Wege gehen. Probleme und bevorstehende Konflikte werden angerissen:

(1) Die Lage des jungen Dienstmädchens Pauline Piperkarcka scheint ausweglos. Sie erwartet ein Kind und wurde von ihrem Bräutigam verlassen. Die Reinemachefrau Henriette John ist bereit, das Kind zu übernehmen und als ihr eigenes auszugeben. Weiterhin wird Frau Johns verkommener Bruder Bruno vorgestellt, für den sie sorgt.

(2) Walburga, die Tochter des Theaterdirektors Hassenreuter, für den Frau John den auf dem Dachboden untergebrachten Theaterfundus betreut, will sich mit dem Hauslehrer Erich Spitta treffen.

(3) Der Theaterdirektor selbst hat ein Abenteuer mit einer jungen Schauspielerin und kommt ebenfalls in das Haus, um sie zu treffen.

(4) Beim Zusammentreffen mit Hassenreuter gesteht Spitta seinen Wunsch Schauspieler zu werden. Der Theaterdirektor rät dringend ab, aber Spitta bleibt dabei.

Dachboden als Schauplatz verschiedener Schicksale

Der I. Akt des nicht in Szenen aufgeteilten Dramas spielt auf dem Dachboden einer ehemaligen Kavalleriekaserne in Berlin, wo der bankrott gegangene Theaterdirektor Harro Hassenreuter seinen Fundus von Kostümen untergebracht hat. Dort treffen sich zu Beginn schon die wichtigsten Personen des Dramas, teilweise jedoch ohne einander zu begegnen. Eine episch breite Regieanweisung, hinter der man ein erzählendes Ich vermuten könnte („Man kann, bei dem ungewissen Licht, im Zweifel sein, ob man sich in der Rüstkammer eines alten Schlosses, in einem Antiquitätenmagazin oder bei einem Maskenverleiher befindet" S. 4), beschreibt über mehr als eineinhalb Seiten sehr genau Raum und Umgebung: Kostüme, Theaterwaffen, Erinnerungsstücke und Schauspielertrophäen, alles etwas verlottert und heruntergekommen.

(1) Die Handlung beginnt mitten in einem Dialog. „Na ja doch!" sind die ersten Worte, die anscheinend etwas vorher Gesagtes bestätigen. Gesprochen werden sie von der Reinemachefrau Henriette John, die den Kostümfundus, so gut es geht, in Ordnung hält. Sie hat eine Unterredung mit einem verzweifelten Dienstmädchen, Pauline Piperkarcka, das ein Kind erwartet und von ihrem Liebhaber ausgenutzt und verlassen wurde. Das Mädchen will in den Landwehrkanal springen oder sich sonst etwas antun, um sich damit an dem Mann zu rächen. Frau John redet auf sie ein, das nicht zu tun. Da ihr eigenes Kind früh gestorben ist und sie und ihr Mann sich so sehnlich ein Kind wünschen, macht sie ihr den Vorschlag, das Kind aufzunehmen. Sie will Pauline Geld dafür geben und hat sich bereits ausgedacht, wie diese das Kind bekommen kann, ohne daß die Wirtin oder die Polizei etwas davon merken. Pauline soll mit einer Geldsumme abgefunden werden.

Das Gespräch wird gestört durch eine neu hinzukommende Person, Frau Johns verkommenen Bruder Bruno. Eine wiederum sehr detaillierte Regieanweisung beschreibt ihn als klein und stiernackig, mit niedriger, zurückweichender Stirn, brutalem Gesicht, stechendem Blick usw. Er soll auf dem Boden Rattenfallen aufstellen (das Rattenmotiv taucht hier zum erstenmal auf), sein tierhaftes, gefährliches Aussehen ängstigt Pauline. Ein zweites durchgehendes Motiv wird genannt mit Brunos höhnischer Äußerung er sei „'n Jespenst" (S. 7). Pauline ängstigt sich, sie möchte ihm weder bei Tage noch bei Nacht im Tiergarten oder Grunewald begegnen. Frau John versucht sie vergebens zu beruhigen, bestätigt aber andererseits Brunos Gefährlichkeit, indem sie sagt: „Jnade Jott, wo ick Brunon hetze und der ma hinter een hinter is!" (S. 8).

Obgleich Bruno sich seiner Schwester widersetzt und über die magere Entlohnung für sein Fallenstellen nörgelt, scheint er ihr doch in sklavischer Art zu gehorchen und kuscht, wenn sie ihn scharf anredet. Ohne weitere Proteste zieht er sich in das anstoßende Zimmer zurück, als sie es ihm befiehlt. Sie erzählt Pauline, daß sie ihn „mit Sorje un Kummer" aufgezogen habe und kommt auf ihr Anliegen zu-

Unmittelbarer Beginn

Paulines Verzweiflung

Frau Johns Vorschlag

Kennzeichnung Brunos

Motive: Ratten, Gespenster

Vorausdeutung

Brunos sklavisches Gehorchen

rück, indem sie darauf hinweist, daß deren Kind es bei ihr besser haben werde als ein Prinz (S. 8).

Paulines Rachepläne

Pauline stimmt in einem erneuten Ausbruch einen Haßgesang auf ihren früheren Freund an. Sie will sich Vitriol kaufen und einen Anschlag auf ihn verüben. Frau John nimmt das nicht zur Kenntnis und spricht weiter von dem Kind. Pauline soll hundertdreiundzwanzig Mark erhalten, die sie sich erspart habe. Diese ist weiterhin verzweifelt, beklagt ihre Ausstoßung durch Bräutigam und Zimmerwirtin und will ihr Kind lieber erwürgen als es zu verkaufen.

Bruno meldet sich zu Paulines erneutem Schrecken mit dem Ruf „Lampen" (ein in der Gaunersprache üblicher Warnruf). Er hat gute Ohren und deswegen als erster gehört, daß jemand kommt. Das Mädchen muß sich schnell auf dem Oberboden verstecken.

Verhältnis der Geschwister

Ein kurzer Wortwechsel zwischen Frau John und Bruno (S. 10/11) präzisiert noch einmal das Verhältnis zwischen den Geschwistern. Sie unterstützt ihn offenbar finanziell, und er hilft ihr gelegentlich. Er hat gemerkt, daß sie ihn diesmal nicht wegen der Rattenfallen hat kommen lassen und will wissen, worum es geht. Sie weigert sich aber, ihm Auskunft zu geben, worauf er gehen will. Er sei müde, weil er die Nacht im Tiergarten geschlafen habe. Frau John befiehlt ihm in scharfem Ton, dazubleiben und beschimpft ihn als Lump, Tagedieb und Nichtsnutz,

Vorausdeutung

der „uff schlechte Weje" (S. 10) gehe. Schon ihr Vater habe ihn für einen Lumpen gehalten und vor ihrem Mann, dem Maurerpolier John, der ein ordentlicher Mann sei, dürfe er sich schon gar nicht blicken lassen.

Bruno rechtfertigt sich in einer bildhaften Sprache: „... so eenfach schiebt sich det nu eemal nu eben nich". Er sei „mit'n Ast uff'n Puckel" geboren, auch

Brunos soziale Ausgangssituation

wenn den keiner sehe, und eben nicht in „Zangzuzih" (= Sanssouci) auf die Welt gekommen (S. 11). Auf seine erneute Frage, was sie nun eigentlich wolle, und seine Vermutung, daß sie etwas mit der Piperkarcka vorhabe, droht sie ihm mit überraschender Energie und Entschlossenheit: „Verrat du een eenziget kleenet Sterbenswort: denn mach' ick dir kalt. Denn bist du 'ne Leiche!" (S. 11).

(2) Es ist ein hübsches sechzehnjähriges Mädchen, Hassenreuters Tochter Walburga, die nun kommt. Bruno verschwindet schnell auf dem Oberboden, wo sich schon die Piperkarcka versteckt hält. Frau John dreht die Petroleum-Lampe aus. Walburga erschrickt furchtbar, als sie Licht machen will und an den noch heißen Zylinder stößt. Frau John läßt sich sehen. Walburga meint, Frau John sehe aus wie ein Geist und man sei auf dem muffigen Boden „wie von Gespenstern umgeben" (S. 12). Die Reinemachefrau wendet das Gespenstermotiv ins Ironische, indem sie das Mädchen als „kleenet Gespenst" anredet und sie fragt, weshalb sie hergekommen sei und ob sie jemanden erwarte. Sonst solle sie doch lieber in die Pfingstsonne gehen. Auf Walburgas Einrede, Frau John sehe so grau aus, auch sie könne Sonne gebrauchen, antwortet diese, Sonne sei nur etwas für feine Leute, sie dagegen lebe hier „von Müllstoob und Mottenpulver" (S. 13).

Als sich herausstellt, daß Walburga mit dem Theologiestudenten Spitta verabredet ist und ihr Vater das nicht wissen soll, malt Frau John ein düsteres Zukunftsbild. Während Walburga noch protestiert, kommt plötzlich jemand. Wiederum löscht Frau John schnell die Lampe und verschwindet mit ihr ebenfalls auf den Oberboden.

Gespenstermotiv – ernst und ironisch

Leben auf dem Dachboden

Walburgas Heimlichkeiten

(3) Direktor Hassenreuter erscheint nun selbst mit dem Hofschauspieler Nathanael Jettel, der sich ein Kostüm für sein Gastspiel ausborgen will. Die Regieanweisung beschreibt Hassenreuter als einen Mann von mittlerer Größe, lebhaftem Temperament, kühnen Gesichtszügen und feurigem Wesen. Er trägt Frack, Lackschuhe und Orden auf der Brust, denn er kommt gerade, was er betont, von einem Empfang bei einem Prinzen. Er ist ein jovialer, selbstironischer Mann, der aber auch gerne durch lateinische Zitate seine Bildung herausstellt und ein wenig eitel ist.

Das Gespräch mit dem Schauspieler Jettel hat die Funktion, ihn näher zu charakterisieren und seine Selbsteinschätzung deutlich zu machen. Zwar lebt er augenblicklich vom Verleihen seiner Kostüme, betont aber hochmütig seine Stellung und seine Ver-

Direktor Hassenreuter

Mißverhältnis zwischen Selbsteinschätzung und Situation

9

bindung zu höheren Kreisen und weigert sich, als Frau John nicht aufzutreiben ist, mit fast beleidigenden Worten, selbst das Kostüm für Jettel, den „miserablen Lappen" (S. 15), herauszusuchen. Darüber kommt es zu einem lebhaften Streit, und der Hofschauspieler verläßt nach beiderseitigen Beleidigungen ohne Kostüm den Boden.

Ein Rendezvous

Neben dem Mißverhältnis von Hassenreuters Anspruch und seiner augenblicklichen Stellung wird ein weiterer Grund für seine Ungeduld klar, als die Schauspielerin Alice Rütterbusch erscheint, mit der Hassenreuter offenbar verabredet war. Sie ist Österreicherin, und beide kennen sich seit ihrer gemeinsamen Zeit in Straßburg und haben ein Verhältnis miteinander. In ihrem ausführlichen rückblickenden Gespräch wird weiteres von Hassenreuters Vorgeschichte deutlich: sein Scheitern als Theaterleiter in Straßburg, der Verlust seines Vermögens und die Rettung des Fundus, der ihn, „den alten Lumpensammler und Maskenverleiher Harro Eberhard Hassenreuter [...] tatsächlich über Wasser gehalten" habe (S. 18). Er äußert sich über die Verkommenheit des Hauses, in dem der Fundus jetzt untergebracht ist, und seiner Bewohner. Nach den finsteren Zeiten, die er erlebt habe, hoffe er nun auf bessere; das Frühstück, das er gerade mit dem Prinzen Ruprecht in Potsdam gehabt habe, gibt ihm Anlaß dazu.

Vorgeschichte Hassenreuters

(4) Als der ehemalige Direktor gerade eine Flasche Wein entkorkt, klingelt es plötzlich, und die Schauspielerin muß sich nebenan in der Bibliothek verstecken. Der bei Hassenreuter als Hauslehrer für dessen Kinder beschäftigte Theologiekandidat Spitta ist auf der Suche nach Walburga. Nach einem komischen Wortwechsel, Spittas verlegenen Erklärungen, weshalb er hier sei, und Hassenreuters Versuch, ihn schnell wieder loszuwerden, rückt der Kandidat, der das Zusammentreffen mit dem Direktor für eine göttliche Fügung hält, mit einem Anliegen heraus: Ob er wohl Talent zum Schauspieler habe?

Theologiekandidat Spitta

Hassenreuter ist entsetzt. Spitta stamme doch aus einem Pfarrhaus, habe Verbindungen und sehe einer behaglichen Existenz entgegen. Dieser hat aber, nach langen inneren Kämpfen, das wahre Ziel seines Lebens erkannt und will unbedingt Schauspieler werden.

Spittas neues
Berufsziel:
Schauspieler

Als Spitta daran festhält, sagte er, daß ihm wohl die Grundvoraussetzungen dafür fehlten, Stimme und Figur: „Mit Ihrer schiefen Haltung, mit Ihrer Brille und vor allem mit Ihrem heiseren und scharfen Organ geht das doch nicht." (S. 23 f.) Spitta ist jedoch fest entschlossen. Solche Leute wie er, da es sie nun einmal in der Natur gäbe, müßten auch auf dem Theater vorkommen. Ein wohlklingendes Organ, womöglich verbunden mit der „Schillerisch-Goethisch-Weimarischen Schule der Unnatur" sei da eher schädlich (S. 24). Hassenreuter ist ganz anderer Meinung und außerdem leicht beleidigt.

Zwei Ansichten
über Theater

Konzeption der
Naturnachahmung
auf dem Theater

Spitta bemerkt noch, daß er seinen Vater bereits in einem zwölf Seiten langen Brief von seiner inneren Wandlung benachrichtigt habe, und beharrt auf seinem Vorhaben. Hassenreuter will ihn jedoch nicht als Schüler annehmen und zählt dafür mehrere Gründe auf, u. a. den, daß er selbst die Weimarische Schule der Unnatur vertrete, und drängt ihn hinaus, indem er selbst mit hinausgeht.

Spitta beharrt auf
seinem Vorhaben

Diesen Augenblick nutzt Walburga, um den Oberboden zu verlassen. Sie ist durch die Begegnung mit Bruno und Pauline Piperkarcka total verängstigt und erschrocken, außerdem wohl auch empört über ihren Vater und dessen Rendezvous mit der Schauspielerin. Frau John läßt sie schnell hinaus; Hassenreuter kommt zurück zu seinem Stelldichein.

Walburga flieht
entsetzt

Der erste Akt hat die wesentlichen Personen und ihre Motive vorgestellt und einige Handlungsfäden exponiert: Frau Johns Wunsch nach einem Kind, Paulines Verzweiflung, Brunos dunkle Wege, Hassenreuters Denken, seine Situation und seine Eskapaden, die Liebesgeschichte zwischen Walburga und Spitta, der dabei ist, aus der ihm vorgezeichneten Laufbahn auszubrechen und etwas anderes anzufangen. Das Haus und insbesondere der Boden mit seiner Symbolik des Dunkeln, Untergründigen scheinen zum Schauplatz verschiedener Schicksale zu werden.

Zusammenfassung

Zweiter Akt

(1) Die Familie John hat nun ein Kind, ist glücklich und schließt sich gegen die Außenwelt ab.
(2) Familie Hassenreuter kommt zur Gratulation. Man spricht über das Kind und seinen Namen, über den ersten, verstorbenen Sohn der Johns und über Frau Johns Bruder Bruno.
(3) Erich Spitta, der nun doch Schauspielschüler geworden ist, tritt für die Geschundenen und Entrechteten ein, trifft aber auf allgemeines Unverständnis.
(4) In einem Gespräch rechnen Walburga Hassenreuter und Spitta mit der verlogenen Welt ihrer Väter ab.
(5) Pauline Piperkarcka will ihr Kind von Frau John wiederhaben. Es kommt zu einer erbitterten Auseinandersetzung. Pauline sagt schließlich, daß sie das Kind beim Amt angemeldet habe. Frau Johns Pläne brechen zusammen, sie steht unter einem schweren Schock.

Zeitaussparung, neuer Schauplatz

(1) Einige Zeit ist inzwischen vergangen. Schauplatz des zweiten Aktes ist die Wohnung des Maurerpoliers John und seiner Frau in der ehemaligen Kaserne. Sie wird in der ausführlichen Regieanweisung als sauber, gepflegt und (klein)bürgerlich beschrieben. John ist zu Hause und arbeitet an Bauplänen. Auf dem Tisch liegen Zirkel, Zollstock und Winkelmaß, was seinen Charakter als ordentlicher Handwerker und Mensch unterstreicht. Seine Frau

Familienidylle: ein Kind bei den Johns

sitzt zufrieden vor einem neuen Kinderwagen mit einem Säugling darin. John ist gerade vom Standesamt zurück, wo er das Kind anmelden wollte. Er erzählt von den Schwierigkeiten, die es gab, weil der Beamte genau Zeitpunkt und Ort der Geburt von ihm wissen wollte. John, der in Hamburg-Altona auf Arbeit war und vor dem Gang zum Amt mit Kollegen auf seine Vaterschaft noch einen getrunken hat, konnte das auf Anhieb nicht genau angeben. Der Beamte fand es nicht unbedingt natürlich, daß das Kind in der Wohnung geboren wurde, worauf John etwas patzig zur Antwort gab, seinetwegen

Rattenmotiv

möge es dann „uff'n Oberboden bei de Ratten und Mäuse jewesen sind" (S. 28), womit er unwissentlich genau das richtige getroffen hat.
Selma Knobbe, die Tochter der Nachbarin, kommt

mit ihrem kranken Brüderchen, mit dem sich Frau John früher immer abgegeben hat. Obgleich Selma selbst noch ein Kind ist, muß sie sich um den Säugling kümmern, weil ihre Mutter schon zwei Tage nicht nach Hause gekommen ist. Sie ist überfordert und verzweifelt, weil sie wegen des kranken Kindes nachts nicht schlafen kann. Trotz Selmas Verzweiflung bleibt Frau John hart und weist sie hinaus, weil sie sich wegen des eigenen nicht mehr mit fremden Kindern abgeben will.

Das Fremde wird ausgegrenzt

Ihr Mann, dem das jämmerlich aussehende Kind leid tut, kann ihr verändertes Verhalten nicht verstehen. Sie habe Angst vor Ansteckung ihres Adalbertchen, womöglich kriege er „schlimme Oochen un Krämpfe" (S. 30). John gibt sich zufrieden, protestiert aber dagegen, daß das Kind Adalbert genannt wird. So hieß nämlich das erste Kind der Johns, das im Alter von acht Tagen ungetauft gestorben ist. Danach haben sie trotz ihres Wunsches kein Kind mehr bekommen, was besonders Frau John, die mit Leib und Seele Mutter ist, schmerzte und ihre Handlungsweise erklärt.

Das verstorbene erste Kind

(2) Nacheinander erscheinen Frau Hassenreuter mit ihrer Tochter Walburga und ihr Mann, um das Kind anzuschauen und als Geschenk einen Apparat zu bringen, mit dem man Milch sterilisieren kann. Frau Hassenreuter ist eine korpulente Frau, sie spricht asthmatisch, stoßweise, schon gesprochene Worte wiederholend. Im Gespräch mit Frau Hassenreuter beschreibt Frau John ihren Mann als gut. Er sei ein guter Mann, „wo sorjen dut und solide is" (S. 31). Um den vor drei Jahren verstorbenen Sohn muß sich John gegrämt haben.

Allgemeine Freude über das Kind

Der hinzugekommene Hassenreuter äußert sich salbungsvoll, metaphernreich und deutschnational („Bravo! der Kaiser braucht Soldaten!"), erinnert noch einmal an den ersten Sohn der Johns („Sie haben schon einmal einen Jungen am Brechdurchfall eingebüßt ..." (S. 32), weshalb er nun den Milchkochapparat bringe, gratuliert, und freut sich lärmend über „Acht Pfund zehn Gramm frisches deutschnationales Menschenfleisch." (S. 33)

Hassenreuters Phrasen

Das Gespräch kommt jetzt auf den Namen des Kindes. Frau Johns Vorschlag, ihn Bruno zu nennen, berührt bei John einen empfindlichen Punkt und wird empört zurückgewiesen. Er fühlt sich dadurch an

Verhältnis zwischen John und Bruno – dessen Vorgeschichte

ihren Bruder erinnert. Frau John verteidigt ihren Bruder und meint, er ginge „manchmal'n bißken uff leichte Weje", sei aber im übrigen gut (S. 33) Man erfährt, daß John Bruno zu helfen versuchte, indem er ihm eine Stellung besorgte. Aber offenbar ist das nicht gutgegangen, denn John hatte nur „Ärjer un Schande" davon, und Bruno steht nun unter Polizeiaufsicht (S. 33). John haßt ihn, während seine Frau vieldeutig bemerkt, daß er ihr „in die schweren Stunden redlich bei Seite jewesen is" (S. 34).

Hassenreuter, deutschnational und bismarckisch gesinnt, schlägt den Namen Otto vor – so habe er sei-

Bismarck-Verehrung und Marine-Enthusiasmus

nen ältesten Sohn genannt, der nun bei der Kaiserlichen Marine sei – und fragt, ob John nicht auch Bismarck-Verehrer sei. Dieser bemerkt, er wisse es nicht genau, aber seine Genossen vom Maurergewerbe seien es jedenfalls nicht. Weiteres wird aber nicht entschieden, weil Hassenreuter sich einem neuen Thema zuwendet und die Funktion des Milchapparates zu erklären beginnt.

(3) Zwei Schüler von ihm, Käferstein und Dr. Kegel, denen er Schauspielunterricht gibt, treffen ein und stellen sich witzig als Könige aus dem Morgenland vor, die das Kindlein anschauen wollen. Der fehlende dritte, der ehemalige Theologiekandidat Spitta, – der es nun doch geschafft hat, von Hassenreuter als Schüler angenommen zu werden –, sei durch einen „gesellschafts-psychologischen Zwischenfall" noch auf der Straße festgehalten worden. Hassenreuter bemerkt, daß Spitta sich wohl wieder

Spittas soziales Engagement

„öffentlich an die Heilung sogenannter sozialer Schäden gemacht" habe und sich übrigens besser zum Sanitätsgehilfen oder zum Heilsarmeeoffizier als zum Schauspieler eignen würde (S. 35). Die Schüler packen Geschenke aus, John spendiert einen Schnaps und erklärt, er ginge nicht mehr nach Hamburg, sondern würde Arbeit beim neuen Reichs-

Hinweis zur Datierung der Handlung

tagsgebäude suchen, wo gerade die Fundamente gelegt würden. Dieser Hinweis erlaubt die zeitliche Datierung der Handlung auf 1884.

Als Spitta zerzaust, schmutzig und ohne Krawatte eintrifft, berichtet er, daß er einer Dame geholfen habe, die einen Schwächeanfall erlitten habe und dicht vor einem Pferdefuhrwerk auf die Straße gestürzt sei. Es stellt sich heraus, daß die gutgekleidete Dame Frau Johns Nachbarin Sidonie Knobbe ist, von der Hassenreuter vermutet, sie gehöre jener „internationalen guten Gesellschaft an, die man je nachdem nur reglementiert oder auch kaserniert" (S. 37). Der sozial eingestellte junge Spitta sieht nur den Menschen und will helfen; die Vermutung, es habe sich um eine Dirne gehandelt, ist ihm gleichgültig. Doch erntet er für sein hilfsbereites Verhalten nur Gelächter. Spittas Mitleidsethik findet kein Verständnis. Frau John äußert sich erbarmungslos und fanatisch: Man solle die Frau an den Pranger stellen und bis aufs Blut prügeln. Spitta beklagt daraufhin, daß das Mittelalter noch nicht vorbei sei, während John entschuldigend erklärt, die Knobbe sei eine süchtige Dirne, die ihre Kinder vernachlässige.

Spittas Mitleidsethik findet kein Verständnis

Gegensätze: die Knobbe und Frau John als Mütter

Hassenreuter, der seinen Unterricht aufnehmen will, verabschiedet sich. Beim Suchen nach einem Schlips für Spitta findet Frau John ein Büschelchen Haare von ihrem verstorbenen Sohn. Nach einem kurzen Augenblick der Traurigkeit hellt sich ihr Gesicht auf: Sie vergleicht das Haar mit dem des Säuglings in der Wiege und findet, es sei genau dasselbe, was sie sich von Spitta bestätigen läßt. Mit dieser Geste wird deutlich, daß sie beginnt, sich selbst zu belügen, indem sie das Kind für ihr eigenes hält.

Frau Johns Selbstbetrug

(4) Es folgt eine kurze Aussprache zwischen Walburga und Spitta. Sie will wissen, warum er so lange nicht bei ihnen gewesen sei. Er entschuldigt es mit seiner Zerrissenheit, seinem Schwanken. Was aus ihm werden solle, weiß er nicht, auf keinen Fall aber Pastor, wie sein Vater, der seinen Besuch in Berlin angekündigt hat. Über ihre Väter sind beide enttäuscht. Walburga hat wegen der Liebschaft Hassenreuters die Achtung vor ihm verloren. Spitta beklagt die Hartherzigkeit seines Vaters, des Pastors, und erzählt von seiner sechs Jahre älteren Schwester, die in einem adligen Hause Erzieherin gewesen

Enttäuschung über die Väter

sei und nach einem Fehltritt Zuflucht in ihrem Elternhaus gesucht habe. Da habe sie ihr Vater unchristlich aus dem Haus geworfen, worauf sie auf die schiefe Bahn geriet und als Selbstmörderin endete. Spittas Mitleid mit den Unterdrückten und Herumgestoßenen resultiert aus dieser Erfahrung. Er könne es nicht mit ansehen, „wie irgendein armer Schlucker mit Füßen gestoßen wird, oder wenn der Mob etwa eine arme Dirne mißhandelt" (S. 41). In solchen Fällen habe er geradezu Halluzinationen und glaube Gespenster, manchmal sogar seine tote Schwester zu sehen.

Spittas „Gespenster":
Unrecht und Gewalt

(5) Das Dienstmädchen Pauline Piperkarcka erscheint bei Frau John und verlangt nach ihrem Kind. Frau John stellt sich unwissend – zuvor hat sie noch rasch Spitta und Walburga verabschiedet. Als Pauline auf ihrem Wunsch beharrt und geradezu von *ihrem* Kind spricht, haut ihr Frau John eine feste Ohrfeige runter und macht Anstalten, sie aus dem Haus zu werfen. Da das Mädchen jedoch laut schreit, ändert sie ihr Verhalten, wird freundlich und will Abbitte leisten. Doch Pauline gibt nicht nach; sie will das Kind wiederhaben. Zu diesem Zweck ist sie sogar bereit, das Geld zurückzugeben, das sie von Frau John offensichtlich für das Kind erhalten hat.

Pauline will das Kind wiederhaben

Frau John ändert mehrmals ihre Taktik

Der ausgesparte Zwischenteil des Geschehens

Es kommt zu einer erbitterten Auseinandersetzung, in der beide Frauen ihre Version der Geschichte darstellen. Frau John erinnert daran, in welcher Notlage Pauline gewesen ist und daß sie in den Landwehrkanal gehen oder das Kind erwürgen oder mit einer Hutnadel erstechen wollte. Doch Pauline bleibt bei ihrem Vorsatz, worauf Frau John, am Ende ihrer Argumentationsmöglichkeiten, schreit, sie solle es sich aus dem Landwehrkanal holen. Ihr letzter Versuch ist die Lüge: sie gibt an, das Kind in Pflege gegeben zu haben. Die Piperkarcka glaubt ihr das nicht, denn man hört das Kind schreien; sie will in den Verschlag vordringen, wo das Kind liegt, doch Frau John verwehrt ihr mit löwenhafter Wut den Zugang zu dem Verschlag. Entschlossen droht sie einen Kampf auf Leben und Tod an, der auch mit dem Tode des Kindes enden werde. Dann macht sie

Verschiedene Argumentationsweisen

Auseinandersetzung auf Leben und Tod

noch einen letzten Versuch zu argumentieren, indem sie sagt, das Kind werde es viel besser bei ihr haben und Pauline solle sich nicht damit beschweren.

Diese aber rückt jetzt mit dem heraus, was sie wirklich an dem Kind interessiert: Sie will es benutzen, um ihren treulosen Bräutigam dazu zu bringen, daß er sie heiratet. Deswegen hat sie es schon beim Standesamt angemeldet und angegeben, es sei in Pflege bei Frau John. Nächsten Tag um fünf käme ein Herr von der Vormundschaft, um die Sache zu überprüfen. Frau John ist wie versteinert, ihre ganze mühsam aufgebaute Konstruktion bricht zusammen. Sie spricht nur noch wenige Worte, so ist sie erschüttert. Die Regieanweisung deutet mit Angaben wie „im Tone der Abwesenheit", „seltsam verändert und geistesabwesend", „Ausdruck schwerer Bewußtlosigkeit", „Nachtwandlerin", „mechanisch", „wie unter dem Einfluß einer Suggestion" an (S. 47/48), was in diesem Augenblick in ihr vorgeht.

Zusammenbrechen von Frau Johns Plänen – ihre Reaktion

Dritter Akt

Handlungsrahmen für den ganzen dritten Akt ist Hassenreuters immer wieder unterbrochener Versuch, auf dem Dachboden Schauspielunterricht zu geben. In mehreren Variationen taucht auch immer wieder das Motiv der Ratten und der Gespenster auf.

(1) Die erste Unterbrechung erfolgt durch den Hausmeister, mit dem über verschiedene unerklärliche Vorgänge auf dem Dachboden gesprochen wird.

(2) Dann unterbricht eine erregt geführte Auseinandersetzung zwischen Hassenreuter und dem jungen Spitta das Programm.

(3) Auch Frau John wird wegen der Vorgänge auf dem Boden befragt. Sie erscheint ganz verwirrt.

(4) Es folgt ein Gespräch zwischen Hassenreuter und dem angereisten Pastor Spitta über dessen Sohn und seine Absicht, Schauspieler zu werden, und über die Gefahren der Großstadt. Ohne es zu wissen, enthüllt der Pastor Hassenreuter das Verhältnis des jungen Spitta mit Walburga.

(5) Das führt zu einer Beschimpfung der jungen Leute durch den Theaterdirektor.

(6) Eine kriminalistische Zuspitzung bringt den Schauspielunterricht vollends an sein Ende. Ein Polizist sucht nach einem angeblich entführten Kind; als es gefunden wird, wird es von zwei „Müttern" als ihres beansprucht; schließlich stirbt es an Verwahrlosung, weil sich vorher offenbar niemand darum gekümmert hat.

(1) Im dritten Akt spitzt sich die Auseinandersetzung um das Kind zu, wobei sich noch eine Verwicklung anbahnt. Schauplatz ist wie im ersten Akt das Dachgeschoß der alten Kavalleriekaserne. Hassenreuter gibt seinen Schülern, zu denen sich der ehemalige Hauslehrer Spitta gesellt hat, dramatischen Unterricht. Auch seine Tochter Walburga ist anwesend. Das Sprechen der klassischen Chöre aus Schillers ›Braut von Messina‹ steht im Kontrast zur heruntergekommenen Umgebung. Durch den ganzen dritten Akt zieht sich Hassenreuters Versuch, seinen Unterricht durchzuführen, was immer durch hinzukommende Personen verhindert wird. Er hat ganz feste, an der Klassik und an Goethes Regeln für Schauspieler orientierte Vorstellungen von der Schauspielkunst und ist mit dem Sprechen seiner Schüler überhaupt nicht zufrieden.

Zugleich wartet der von Hassenreuter bestellte Hausmeister Quaquaro, der die Tatsache aufklären soll, daß aus dem Fundus des Direktors einerseits einige Kleiderkisten abhanden gekommen sind, andererseits ein Fund gemacht wurde, den Hassenreuter eine „sonderbare Bescherung" nennt: ein altes, blaukariertes Federdeckbett und eine „unaussprechliche Scherbe", offenbar ein Nachttopf (S. 51). Beim Rätsel darüber, was geschehen sein könnte, werden verschiedene Möglichkeiten angesprochen. Käferstein erzählt vom Kolonialwaren-Laden seiner Mutter, in dem immer – wenn etwas abhanden gekommen war – gesagt wurde, die Ratten hätten es gefressen. Hassenreuter weist als aufgeklärter Mann alle Spekulationen zurück und ordnet an, mit dem Unterricht fortzufahren.

(2) Als er Spittas Vortragsart kritisiert, antwortet dieser mit einer grundsätzlichen Kritik der klassischen Ästhetik: „alles Gestelzte, alles Rhetorische" liege ihm eben nicht, insbesondere liebe er nicht

Ort, Rahmen

Kontrast zwischen klassischer Sprache und Umgebung

Der seltsame Fund

Ratten als Urheber alles Bösen

„den ganzen sonoren Bombast" der ›Braut von Messina‹ (S. 53). Nun folgt eine Auseinandersetzung, die zu einer grundsätzlichen Auseinandersetzung über Fragen der Schauspielkunst und der Dramenästhetik gerät. Hassenreuter beschwört die Regeln klassischer Dramaturgie: die Kunst des Sprechens, die Handlung im Drama, die poetische Gerechtigkeit, die tragische Fallhöhe. Spitta sei zu ignorant, das zu begreifen. Um ihn durch Lächerlichmachen zu widerlegen, wirft er ihm seine Behauptung vor, daß „ein Barbier oder eine Reinemachefrau aus der Mulackstraße ebensogut ein Objekt der Tragödie sein könnte als Lady Macbeth und König Lear" (S. 54).

Klassische gegen moderne naturalistische Ästhetik

Dies bejaht Spitta durchaus; er vertritt eine demokratische Kunst, vor der alle Menschen gleich seien, und beruft sich auf Lessing und Diderot. Das Theater solle auf die frühen Dramen Goethes und Schillers und auf Lessing zurückgreifen, wenn es sich erholen wolle: bei ihnen ständen Sätze, die der Natur und der Fülle der Kunst und dem Reichtum des Lebens angemessen seien.

Kunst und Leben

Nun ist Hassenreuter ernstlich böse, er schimpft zunächst über die Arroganz der jungen Leute, flüchtet sich dann, als Spitta auch noch Goethes Regeln für Schauspieler kritisiert, in die Ironie („Direktor Hassenreuter ein Esel [. . .] Schiller ein Esel! Goethe ein Esel! S. 55) und beginnt dann, Spitta maßlos zu beschimpfen. Er sei eine Ratte, ein „Symptom" für den Verfall.

Spitta als Wühler gegen die klassische Kunst

Die Ratten werden in Hassenreuters konservativer Perspektive als Symbol für den Niedergang und für die Kritik am Bestehenden verstanden: Sie tummeln sich überall und unterminieren alles, in der Politik („unser herrliches neues geeinigtes Deutsches Reich"), in der Kunst, im Denken („fressen sie die Wurzeln des Baumes des Idealismus ab"). Sein Verdammungsurteil „in den Staub", dreimal wiederholt, bringt die Schüler außer Spitta so zum Lachen, daß Hassenreuter schließlich selbst mitlachen muß und sich wieder beruhigt (S. 55).

Die Ratten: Symbol für Verfall auf allen Gebieten

(3) Als Frau John hinzukommt, bezeichnet Hassenreuter sie ironisch als „tragische Muse", nimmt das dann aber – als sie nicht versteht, was er meint – zu-

Frau John als ‚tragische Heldin'?

rück und meint, sie solle doch Gott danken, daß ihr „stilles, eingezogenes, friedliches Leben [sie] zur tragischen Heldin ungeeignet" (S. 56) mache. Frau John versteht den Zusammenhang nicht; sie kommt vom Boden herunter, ist blaß und verwirrt. Hassenreuter fragt, ob sie vielleicht Gespenster gesehen habe, aber sie beteuert, sich vor Geistern nicht zu fürchten.

Quaquaro kommt ebenfalls vom Boden herunter, er hat ein halbgefülltes Milchfläschen gefunden. Frau John versucht eine Erklärung: sie sei mit Adalbertchen oben gewesen und sei im übrigen an der ganzen Geschichte unschuldig. Sie spricht plötzlich ganz verwirrt in abgebrochenen Sätzen über die richtige Mutterschaft und daß sie für einige Tage verreisen müsse. Quaquaro kommentiert ihr Verwirrtsein, indem er es auf die Geburt ihrer Kinder zurückführt.

Ihre Verwirrung

Hassenreuters Frage, was er als Bestohlener nun tun wolle, regt eine Diskussion über die Bewohner des Hauses an. Quaquaro hält wenig von den Bewohnern: er würde am liebsten säubern, anzeigen und rausschmeißen; die Mitglieder des Gesangvereins, den Hassenreuter lobt, bezeichnet er als schwere Jungs, die bald von der Polizei ausgehoben würden.

Kriminalität der Hausbewohner

(4) Nach dem Abgang des Hausmeisters schickt ihm der Theaterdirektor eine gelungene Kennzeichnung („Sein Auge blitzt Kaution. Sein Wort heischt Preußisch-Kurant." etc.) hinterher (S. 57). Hassenreuter, der offensichtlich mit der Schauspielerin Alice Rütterbusch verabredet ist, entfernt Walburga und die Schauspielschüler unter durchsichtigen Vorwänden. Es erscheint aber nicht die erwartete Schauspielerin, sondern Pastor Spitta, der ländlich gekleidet ist und in der Regieanweisung als „ein etwas verbauerter kleiner Landpfarrer" (S. 58) bezeichnet wird.

In Pastor Spitta betritt der von der Großstadt Berlin geschockte Provinzler die Bühne. Er stellt sich Hassenreuter vor und schlägt in seiner weitschweifigen und umständlichen Rede sogleich als eine Art Leitmotiv das Wort „Bekümmernis" an. Durch dieses Wort wird der folgende Dialog sprachlich verklam-

Pastor Spitta und das „Sündenbabel" Berlin

mert, denn Hassenreuter nimmt es auf, indem er ihm rät, nicht allzu besorgt und bekümmert zu sein. Der Pastor hat Sorgen mit seinem Sohn. Zudem verwirrt ihn das Erlebnis der Stadt Berlin.

Daß sein Sohn Schauspieler werden will, findet er eine „unerhörte Tat". Dies habe ihn innerlich gebrochen. Hassenreuter muß sich das Problem erst erklären lassen, denn er versteht es zunächst nicht. Als Pastor Spitta anklagend auf den für ihn himmelschreienden Gegensatz „Sohn eines redlichen Mannes" und „Schauspieler" hinweist, ist Hassenreuter beleidigt und pocht auf die Ehrbarkeit des Schauspielerberufs. Dessen Problematik läge woanders: in der Schwere dieses Berufes. Nur aus diesem Grunde würde er ihn seinen Töchtern verbieten.

Wertung des Schauspielers

Spitta bejammert weiter erregt sein Schicksal als schlichter, armer Landpfarrer, dessen Sohn kurz vor dem Examen die erwünschte Karriere eines Pfarrers abgebrochen habe. Das schreibt er der neuen wissenschaftlichen Theologie und den Verführungen der Großstadt zu. Damit wird das Motiv des Landpfarrers in der Stadt weitergeführt. In ihren Angeboten sieht er ein Sündenbabel erstehen und den Untergang nicht nur der Moral, sondern der Welt.

Pastor Spittas Verfallsklage

Hassenreuter teilt als weltläufiger Mann die Befürchtungen des Pastors wegen der Unmoral nicht; beängstigend findet er eher die Ansichten des jungen Spitta über die Literatur. Der Vater nimmt das erschrocken auf, ohne das Problem zu verstehen, und spricht fortwährend von moralischem Abstieg: schon seine Tochter sei „von der gleichen verruchten Stadt als Opfer gefordert worden" (S. 62).

Nebeneinandersprechen über unterschiedliche Probleme

Zum Beweis, daß für seinen Sohn das gleiche zu fürchten sei, zieht er ein Foto hervor, das er in dessen Wohnung gefunden hat. Es zeigt Hassenreuters Tochter und ist mit einer Widmung versehen: „Ihrem einzigen Liebsten, seine Walburga." Spitta hält das für äußersten moralischen Verfall und verkündet dem verdutzten Theaterdirektor, an dem „albernen Lärvchen" liege weiter nichts, vermutlich sei es „irgendein Nähmädchen" oder eine „obskure Kellnerin", entscheidend sei jedoch, daß sein Sohn sich „in solchem Schmutz" (S. 62) wälze. Unwissentlich beleidigt er damit Hassenreuter erneut, der ihn grob

Hassenreuter bekommt eine Mitteilung und ist beleidigt

anfährt, ihm knapp mitteilt, über das Mädchen irre er sich, und ihn dann hinauswirft und voller Wut ankündigt, den jungen Spitta ebenfalls hinauszusetzen.

(5) Walburga und der junge Spitta werden vom Boden heruntergeholt und bekommen einen Anpfiff, wobei sie zunächst nicht wissen, warum eigentlich. Spitta wird seinem Vater nachgeschickt, er soll ihm begreiflich machen, daß „ich nicht euer Schuhputzer bin" (S. 63), wie Hassenreuter in sich steigernder Wut feststellt. Er fühlt sich von beiden betrogen und hält Walburga eine Schimpf- und Moralpredigt, die eine Menge von Phrasen enthält: Spitta sei ein Wicht, „hinter dessen Maske die unverschämteste Frechheit" lauere, vom „Geiste der Wohlanständigkeit" ist die Rede und davon, daß Walburga „den Schild unserer Ehre beflecken" könne wie die Schwester Spittas, die wohl in „Gasse und Gosse" geendigt sei (S. 64). Hassenreuter scheint plötzlich in bezug auf seine Tochter ähnliche Befürchtungen zu hegen wie Pastor Spitta für seinen Sohn.

Hassenreuters scheinheilige Moralpredigt

Im Verlauf des folgenden Wortwechsels nennt Walburga nicht ohne Hintersinn Alice Rütterbusch als Beispiel für eine Frau, die sich selbst durchbringt, was Hassenreuter spürbar aus dem Konzept bringt. Die Anspielung wirkt – Hassenreuter bricht seine Standpauke ab und er will nun seinen Unterricht fortsetzen. Die Deklamation wird wieder aufgenommen. Sie beginnt ironischerweise – nach Hassenreuters mehrfachen Ausbrüchen – mit den Worten „Weisere Fassung/ ziemet dem Alter ..." (S. 64). Doch wiederum wird es nichts mit dem Unterricht; Spitta kehrt zurück mit zwei Frauen und einem Säugling. Es handelt sich um die Piperkarcka und um Frau Kielbacke vom Kindererziehungsheim, die Frau John suchen. Der Theaterdirektor wehrt sie mehrfach ab und fordert Spitta auf, mit ihnen wegzugehen.

Situationskomik: der immer wieder verhinderte Schauspielunterricht

(6) Pauline gibt an, bei dem Säugling handle es sich um ihr Kind, das sie bei Frau John in Pflege gegeben habe. Aus ihrer Wohnung nämlich haben die beiden Frauen es herausgeholt. Es entsteht ein Streit dar-

über, wem das Kind gehört, denn Hassenreuter, der Frau Johns angebliches Kind kennt, hält es für unmöglich, daß dieser verwahrloste Säugling identisch sein könne mit Frau Johns Kind. Vollends unübersichtlich wird die Situation mit dem Erscheinen des Schutzmanns Schierke. Er ist auf der Suche nach zwei Frauen, die angeblich mit einem der Frau Knobbe entführten Säugling nach oben auf den Dachboden geflüchtet seien. Hassenreuter meint, es sei nun geklärt, daß es sich nicht um Frau Johns Kind handeln könne und bittet den Schutzmann, ihm die Frauen vom Hals zu schaffen. Da aber dringt Frau Knobbe ein, die das Kind als ihres reklamiert.

Verwirrung und Streit: Wem gehört das Kind?

Sie ist Alkoholikerin und Morphinistin, woraus sie keinen Hehl macht. Im folgenden spielt sie eine große Szene vor, um den Anwesenden ihr unglückliches Schicksal vor Augen zu führen und auf die adlige Abkunft ihres Helfgott Gundofried zu verweisen. Sie deutet an, daß man ihr aus diesem Grunde das Kind wegnehmen wolle. Es kommt zu einer Auseinandersetzung zwischen ihr und der Piperkarcka, weil beide das Kind als ihres beanspruchen, die nur durch das Eingreifen des Schutzmannes nicht tätlich endet. In all diesem Tumult und Lärm stirbt der Säugling, worauf Hassenreuter salbungsvoll kommentiert, hier sei einer gewesen, „der über das unbeteiligte arme kleine Streitobjekt ein wahrhaft salomonisches Urteil gesprochen" habe (S. 74). So sei das menschliche Schicksal; Spitta solle mal so was erfinden.

Frau Knobbes große Szene

Tod des Kindes

Der dritte Akt ist insgesamt von situationskomischen und ernsthaften Elementen bestimmt. Zugleich ist er eine Berührungsstelle von Kunst – wenn man die scheiternden Bemühungen des Theaterdirektors hier so bezeichnen kann – mit der Tragik des Lebens. Hassenreuters Kommentar zu dem Tod des Kindes ist ästhetisch vermittelt: Er zeugt wieder einmal von seiner wortgewandten Bildungstüchtigkeit, die schnell das passende Wort parat hat, das aber keineswegs immer genau trifft, denn in der Salomon-Geschichte bleibt nach dem Streit der Mütter das Kind am Leben.

Kunst und Leben

Vierter Akt

(1) Zu Beginn des vierten Akts werden die Vorgänge vom Ende des dritten noch einmal aus einer anderen Perspektive berichtet. Der von seiner Arbeitsstelle heimgekehrte Paul John erfährt von dem Hausmeister und Polizeispitzel Quaquaro, was alles in seiner Abwesenheit passiert ist. Er ist beunruhigt und forscht mehrfach selbst nach, wobei er in ein Wechselbad von Besorgnis und Erleichterung gerät.

(2) Nach dem Bruch mit seinem Vater hat sich Erich Spittas Situation verschlechtert: Er ist ohne Geld, mußte die Nacht im Freien zubringen und hat Hunger. Dennoch will er durchhalten. In einer Aussprache mit Walburga klagen beide die Welt ihrer Väter an.

(3) Frau John kehrt zurück und ist ganz verwirrt. Sie redet von einem toten und durch die Sonne wiedererweckten Kind. Ihr Mann merkt, daß sie gar nicht verreist war. In einem Rückblick erinnern sich beide an frühere Zeiten. Plötzlich klagt sie Paul John an, er habe sie zugrundegerichtet.

(4) Brunos Dazukommen löst eine gefährliche Auseinandersetzung zwischen den Männern aus. Paul John verläßt das Haus. Es zeigt sich, daß Bruno den Auftrag von Frau John hatte, Pauline Piperkarcka so einzuschüchtern, daß sie nicht wiederkäme, er sie aber – mehr aus Versehen – umgebracht hat. Nun muß er sich verstecken und nimmt Abschied von seiner Schwester.

(1) Der vierte Akt steht zunächst ganz im Zeichen von Paul John, der von seiner Arbeitsstelle in Hamburg kommt und gar nicht weiß, was inzwischen bei ihm zu Hause passiert ist. Seine Frau ist mit dem Kind aufs Land verreist, der Hausmeister Quaquaro besucht ihn. John ist sehr aufgeräumt und voller Freude. Er hat vor, die Wohnung in der Mietskaserne zu kündigen und mit seiner Frau in eine bessere Gegend zu ziehen. Da er das Wanderleben leid ist, will er auch seine Arbeitsstelle in Hamburg aufgeben, um sich in Berlin mehr der Familie widmen zu können.

Paul Johns Zukunftspläne

Quaquaros Bericht über die Geschehnisse

Quaquaro unterrichtet ihn von den neuesten Ereignissen im Haus: das jüngste Kind der Nachbarin Knobbe sei gestorben. Er wundert sich, daß Frau John ihm nichts davon geschrieben hat, doch John meint, seit sie ein eigenes Kind hätten, sei die Beziehung zu den Kindern der Nachbarin abgebrochen. Quaquaro berichtet weiter, ein fremdes polnisches Mädchen sei gekommen, das behauptet habe, das Kind sei ihres. Die Nachricht, daß Bruno mit dem polnischen Mädchen, nach dem jetzt gesucht werde, gesehen worden sei, verdirbt Paul John die gute Laune. Mit Bruno will er nichts zu schaffen haben. Auf die unwillige Frage, was er denn eigentlich mit solchen Geschichten von ihm wolle, erklärt der Hausmeister, er wolle ihn nur aufklären, was in seiner Abwesenheit vermutlich in seiner Wohnung geschehen sei. Die Knobbe-Tochter Selma soll ihren kleinen Bruder mit dem Kinderwagen in die Johnsche Wohnung geschoben haben. Dort habe das fremde Frauenzimmer und ihre Begleitung den Säugling herausgeholt. Auf dem Dachboden seien sie dann gestellt worden.

John wehrt ab, er will mit dem ganzen nichts zu tun haben. Der Hausmeister berichtet weiter, die Polin habe nämlich behauptet, sie sei die Mutter des Knobbeschen Kindes und sie habe es bei Frau John in Pflege gegeben. Das scheint John so verrückt, daß seine aufkeimenden Befürchtungen zerstreut werden und er befreit auflacht.

Johns Unruhe

Den ankommenden Erich Spitta, der wissen will, ob Walburga nach ihm gefragt habe, redet er launig an, indem er über die zwielichtige Stellung des gerade weggegangenen Hausmeisters spottet: mit einem Fuß stehe er im Gefängnis, „mit'n andern is er Liebkind beim Bezirkskommissar uff't Polizeibüro" (S. 78); er wolle nur bei ehrlichen Leuten herumschnüffeln.

Quaquaros Rolle als Polizeispitzel

Das Gehörte läßt ihm offensichtlich doch keine Ruhe, und er ruft Selma, um sie zu befragen. Das Mädchen ist ganz verschüchtert, hat ein schlechtes Gewissen. Sie bestätigt nur, daß sie ihr krankes Brüderchen wegen der größeren Ruhe zu den Johns geschoben hat und daß dann „een Herr" und „eene Dame un noch 'ne Frau" gekommen seien und es fortgenommen hätten (S. 79). Von der Auseinandersetzung um das Kind und der angeblichen Pflege bei Frau John mag sie nichts sagen. John fühlt sich von einer unbehaglichen Ahnung entlastet, allerdings mischt sich Spitta ein und bestätigt die Aussagen,

Selma sagt aus

Ihre Angst

die über das angebliche Pflegekind bei Frau John gemacht worden sind.

(2) Spitta kommt nun mit seinem Anliegen heraus. Eigentlich wollte er zu Frau John, um sich von ihr etwas Geld zu leihen, weil er sonst aus seiner Unterkunft fliegt. Er erzählt von dem Streit mit seinem Vater, von dem er nun keine Unterstützung mehr annehmen werde. John hat gewisse Vorbehalte gegen die Studenten, die ausgehungerte arme Luder seien, aber auch nichts „Reelles anfassen" wollten (S. 80). Spitta verteidigt sich: er habe schon vieles gemacht, John empfiehlt ihm eine Maurerlehre, weil er Geistesarbeiter ablehnt und sie für Faulenzer hält. Erst der Hinweis auf die Vordenker der Sozialdemokratie („Ihre Herren Bebel und Liebknecht", die „auch Geistesarbeiter" seien, S. 81), läßt John einlenken, und er lädt Spitta, der noch nichts gegessen hat, zum Frühstück ein.

Spittas finanzielle Probleme

Eine Bemerkung von Spitta, daß er die Nacht im Freien verbracht habe und seine eigene Feststellung, daß jemand der „in Dalles", d. h. in Geldnot ist, nicht schlafen könne, bringt John plötzlich auf eine neue Idee. Wieder ruft er Selma her, die ihm nochmals genau über den Hergang der Sache mit dem fremden Mädchen und dem Kind berichten soll. Selmas Antworten bleiben unergiebig, deshalb nimmt John sie bei der Hand und geht hinüber zu ihrer Mutter, weil er es jetzt offenbar genau wissen will.

Neue Beunruhigung Johns

Spitta bleibt allein und fällt heißhungrig über das Essen her. Walburga erscheint aufgeregt. Sie sprechen sich über ihre Eltern und ihre Situation aus. Es kommt in einem ausführlichen Gespräch zu einer grundsätzlichen Abrechnung mit der Welt der Väter. Walburga erzählt von ihren Schwierigkeiten, von zu Hause wegzukommen, wo sie von ihrem Vater eingesperrt worden war, Spitta von dem Bruch mit seinem Vater und von dessen Haß gegen alles, was mit dem Theater zu tun habe. Walburgas Zerwürfnis mit Hassenreuter, seine unerträgliche Moralheuchelei hätte von ihr mit einem Hinweis auf seine Rütterbusch-Affäre beantwortet werden können, aber sie habe sich für ihn zu sehr geschämt.

Bruch mit der Welt der Väter

Erich Spitta fühlt sich als junger Mensch, der etwas Großes erreichen will. Er wirft seinem Vater seine christlich-verstockte Intoleranz vor, mit der er die zur Dirne gewordene Tochter verstoßen hat. Spitta beklagt, daß die Vertreter der Kirche das Christentum und seine Lehren ins Gegenteil umgefälscht hätten. Als er die Nacht auf einer Bank im Tiergarten zubrachte, hat er an seine verlassene, ausgestoßene und entwürdigte Schwester denken müssen, für die das Christentum des Vaters kein Mitleid kannte. Der Gegensatz zur Welt der Väter ist für den vom Mitleidsethos beflügelten Spitta unüberbrückbar.

Kritik an christlicher Intoleranz

Im Dialog der beiden tauchen expressionistische Themen auf: Aufbruch der Jugend, Abkehr von der verlogenen alten Generation. Auch in der Sprache sind expressionistische Stilelemente unverkennbar. Walburga: „Ich fliege. Ich bin mehr tot wie lebendig. Aber ich bin zum Letzten bereit." (S. 82) Spitta: „In uns liegen die Keime. Der Boden lockert sich schon! Wir sind, wenn auch noch unterirdisch, die künftige Ernte. Wir sind die Zukunft!" (S. 83) Walburga drängt ihm Geld auf, wenn er es nicht annehme, wolle sie ebenfalls nichts mehr essen. Sie zeigt ihm eine Vorladung vom Gericht und vermutet, daß sie mit den gestohlenen Sachen vom Boden zusammenhängt.

Aufbruchstimmung der Jugendlichen

(3) Frau John kommt mit dem Kind zurück. Sie ist verwirrt und erregt, scheint unter einem Schock zu stehen und redet teilweise Unverständliches. Die Regieanweisungen erläutern ihren Zustand. Sie phantasiert von einem vom Blitz erschlagenen Kind, das durch die Einstrahlung der Mittagssonne wieder zum Leben erweckt worden sei, und von einem Geheimnis, das sie entdeckt habe. Walburga ist es unheimlich, und die jungen Leute verlassen das Zimmer.

Frau John steht unter Schock

Auch im Gespräch mit ihrem Mann, der zu Anfang fröhlich von den anstehenden Veränderungen und seiner neuen Arbeitsstelle erzählt, gibt sich Frau John seltsam. Sie will wissen, ob etwas Besonderes passiert sei. Daß nach Bruno gefragt wurde, belastet beide. Paul John ist der Ansicht, er werde mal ein

Sie war nicht
verreist, sondern
hat sich versteckt

schnelles Ende im Gefängnishof nehmen. Ihm fällt auf, daß das Kind schlecht aussieht, daß ihre Haare staubig sind und daß sie auf die Frage, wie es ihrer Schwester gehe, bei der sie angeblich gewesen ist, nicht reagiert. Er meint, sie müsse krank sein. Sie fällt ihm um den Hals und fürchtet, – ohne daß ein Grund ersichtlich ist – er werde sie verlassen.

Beide erinnern sich an glückliche frühere Zeiten: an seine Werbung um sie und an seinen Patriotismus im deutsch-französischen Krieg. Der Rückblick wird von Frau John jäh mit der Bemerkung beendet, dies alles sei nun schon hundert Jahre her. Offensichtlich hat die Gegenwart sie wieder.

Unvermittelt schlägt sie ihm vor, mit ihr und dem Kind nach Amerika auszuwandern. Er versteht sie nicht, fühlt sich am hellichten Tag auf einmal von Gespenstern umgeben: „Det kichert, det wispert, det kommt jeschlichen! und wenn ick nach jreife, denn is et nischt." (S. 89) Etwas Ungreifbares verunsichert den bodenständigen Mann. Er fragt nun nach dem fremden Mädchen, sie lenkt ab, sagt, es sei nicht wieder aufgetaucht. Plötzlich bricht sie unvermittelt in eine Anklage gegen ihn aus: er habe sie jahrelang alleingelassen, einsam sei sie gewesen, abgerackert habe sie sich, um zu etwas zu kommen. Und das solle nun alles für fremde Leute gewesen sein?

Dieser Satz ist merkwürdig und unverständlich, kann eigentlich nur so erklärt werden, daß Frau John ihr Spiel um das Kind verloren glaubt. Auch die Anklage gegen ihren Mann, in der die Passage gipfelt: „Paul, du hast mir zujrunde jerichtet!" (S. 90) kann aus der äußerlich gegebenen Situation allein nicht erklärt werden.

(4) Katzenartig leise ist Bruno Mechelke eingetreten. Als John ihn sieht, kommt es zum Streit: Er bedroht Bruno und weist in aus der Wohnung. Frau John geht dazwischen und verhindert die weitere Auseinandersetzung, indem sie verspricht, den Bruder aus dem Haus zu schaffen. John solle inzwischen schon mal nach draußen gehen.

Bruno will Reisegeld haben, sonst ginge er „verschütt", d. h. er würde verhaftet und ins Gefängnis gesteckt. Während der ganzen Szene bedient er sich eines Gaunerjargons aus Rotwelsch mit besonders fehlerhaftem Deutsch (Kasus, Satzbau). Frau John verlangt seinen Bericht, worauf er erzählt, daß er Pauline Piperkarcka mit einem Komplizen in eine Kneipe gelockt habe, unter dem Vorwand, ihr Bräutigam warte dort auf sie. Danach seien sie die Nacht, den nächsten Tag und noch eine Nacht mit ihr herumgezogen, ohne sie aus den Augen zu lassen. Während Frau John Geld hervorkramt, läuten die Kirchenglocken; Bruno erzählt, man habe ihm geraten, über die russische Grenze zu gehen, und bittet um ein nasses Handtuch wegen seines Nasenblutens. Frau John entdeckt Striemen an seinem Handgelenk und will eine Erklärung. Während dies alles gleichzeitig und nebeneinander abläuft, hört Bruno versunken auf die Glocken, und es entfährt im die Bemerkung „Heute morjen halb viere hätt' se det Jlockenläuten noch heeren jekonnt." (S. 93)

Brunos Bericht über die vergangenen Tage

Frau John erkennt sofort die Bedeutung dieses Satzes und schreit jammernd, dies habe sie ihn nicht geheißen. Der Bruder wirft sich in die Brust und sagt, mit ihm sei nicht zu spaßen, man solle ihn bloß nicht hänseln. Auf ihren erschreckten Ausruf, sie würden ihn festsetzen, antwortet er zynisch: „Na jut, denn mache ick Bammelmann, und denn ham se uff Charité, wieder ma wat zum Sezieren." (S. 93) Frau John erkundigt sich noch einmal nach dem Vorgefallenen und erfährt folgendes: Als Bruno Pauline gesagt habe, sie solle wegen des Kindes nicht mehr bei seiner Schwester nachfragen, sei sie wild geworden und ihm an die Gurgel gegangen, worauf es dann so gekommen sei (daß er sie umgebracht habe). Bruno ist immer noch stolz, daß er was für sie tun konnte, doch sie macht ihm klar, daß er das Mädchen nur bedrohen und einschüchtern sollte, damit es sich nicht mehr blicken lasse. Beiden ist klar, daß er verschwinden muß und daß sie sich viele Jahre nicht sehen werden. Etwas wie ein geschwisterliches Verhältnis stellt sich in der Abschiedsszene ein: sie fragt ihn, ob er das Kind noch einmal sehen wolle, was er ablehnt. Er schenkt ihr ein Hufeisen, das ihr Glück bringen solle; doppelsinnig sagt er, er selbst brauche es nicht mehr. Nach seinem Abgang scheint

Bruno hat Pauline umgebracht

Frau Johns Auftrag

Abschied

Frau John die volle Tragweite des Geschehenen zu erfassen. Sie bricht zusammen und beteuert, halb betend: „Ick bin keen Merder! ick bin keen Merder! det wollt' ick nich!" (S. 95)

Die Pauline-Handlung ist damit gewaltsam zu Ende gebracht; es wird deutlich, daß Frau John dies zwar nicht wollte, aber doch bei ihrem Kampf um das Kind vor Gewalt nicht zurückscheute und sich dabei der Hilfe ihres Bruders bediente.

Fünfter Akt

Im fünften Akt werden die Handlungsfäden, soweit es geht, zu Ende geführt und die Schicksale geklärt. Alle Beteiligten – außer Bruno, der polizeilich gesucht wird – sind in der Johnschen Wohnung versammelt.

(1) Hassenreuter söhnt sich mit Walburga und Spitta aus; er wird wieder Theaterdirektor in Straßburg.

(2) Im Geist der völlig erschöpften Frau John mischen sich Wahn und Wirklichkeit. Hassenreuters Versuch, die Geschehnisse auf dem Dachboden aufzuklären, mißlingt zunächst. John ist über Brunos Verbrechen erbittert, streitet mit seiner Frau, die sich von ihm verraten fühlt, und will mit seinem Kind die verrotteten Verhältnisse verlassen.

(3) Die wirklichen Zusammenhänge werden stückweise durch Frau John und Selma aufgeklärt, wobei wiederum neue Fehldeutungen entstehen, bis die in die Enge getriebene Selma erklärt, Frau John habe überhaupt kein Kind gehabt, was diese schließlich eingesteht.

(4) John wendet sich nun gänzlich von seiner Frau und von dem früher vergötterten Kind ab, worauf sie verzweifelt hinausstürzt. Währenddessen diskutieren Hassenreuter und Spitta noch über das Problem der Tragik, bis Selma mit der Nachricht kommt, daß Frau John sich umgebracht habe.

Überblick

Zwischen dem vierten und fünften Akt ist nur wenig Zeit vergangen. Im fünften Akt gehen die einzelnen Handlungsfäden zu Ende. Hassenreuter bekommt seine Berufung als Theaterdirektor nach Straßburg, er söhnt sich mit seiner Tochter und Spitta aus; die Verwicklungen um das Kind werden geklärt, und Frau John begeht Selbstmord.

Zu Beginn des Akts, der in der Wohnung der Familie John spielt, liegt Frau John, erschöpft von den Aufregungen der letzten Zeit, auf dem Sofa und schläft. Walburga und Spitta konnten das Haus nicht verlassen, weil es durch Polizeiposten abgeriegelt ist. Walburga hat Angst, daß sie festgenommen wird und mit zur Wache muß, doch beruhigt sie Spitta mit dem Hinweis, sie sehe Gespenster und erklärt ihr, daß man einen Verbrecher suche. Frau John träumt und spricht im Schlaf, währenddessen hält sie das rostige Hufeisen in der Hand, das ihr Bruno dagelassen hat.

Gespenstermotiv, redensartlich

(1) Frau Hassenreuter kommt und ist froh, ihre Tochter zu sehen, die ihr einen Brief geschrieben hat, in dem sie androhte, ins Wasser zu gehen. Sie verweist ihr und Spitta „solche verzweifelte Torheiten" (S. 97), ist im Grunde schon einverstanden mit dem Bund der beiden und spricht ihnen Mut zu. Inzwischen hat sie auch auf ihren Mann vermittelnd eingewirkt, was ihr deswegen gut gelang, weil er brieflich seine Ernennung zum Theaterdirektor in Straßburg erhalten hat.

Aussöhnung in Sicht

Inzwischen erwacht Frau John, ist aber noch halb im Traum, fragt nach Bruno und spricht verwirrt von Adalbertchen, auf dessen Grab Jungens Steine geworfen hätten und mit dem sie beim Standesbeamten gewesen sei. Zweimal spricht sie zu Bruno, als ob er anwesend sei, und sagt ihm, daß er auf schlechten Wegen gehe.

Frau Johns Verwirrung

Hassenreuter trifft ein. Die Aussicht auf Straßburg und das Ende seiner Misere als Fundusverwalter lassen ihn glänzend gelaunt sein. Als er seine Familie sieht, zitiert er Schiller, fragt im gleichen Atemzug nach einem Spediteur, nimmt die frühere Auseinandersetzung leicht, hat Walburga verziehen und warnt Spitta halb ernst, halb scherzhaft vor Übereilung bei der Gründung einer Familie, weil der keine Ahnung habe, was da auf ihn zukomme. Sie zu ernähren sei schwer, und man könne nur jedem wünschen, davor bewahrt zu werden, in der Enge der Stadt „mit andern Verzweifelten, Brust an Brust, in unterirdischen Löchern und Röhren, um das nackte Leben für sich und die Seinen zu ringen"

Kampf ums Überleben: Rattensymbol indirekt zitiert

31

(S. 100). Indirekt spricht er damit das Rattensymbol an.

Metaphernreich („Schiffbruch“) und mit häufigem Gebrauch von Zitaten und Bildungsanklängen beschreibt er die hinter ihnen liegenden dunklen Jahre, in der er die Familie mit dem Verleihen seiner Kostüme durchbringen mußte, und freut sich nun auf bessere Zeiten. Dann bringt er das Gespräch auf anonyme Briefe, die er bekommen hat und die ihm zu einem Ereignis auf seinem Magazinboden gratulieren. Gleichzeitig habe eine Zeitungsnotiz gemeldet, im Magazin eines „Maskenverleihers“ – ein Ausdruck, über den er sich besonders ärgert – sei ein neugeborenes Kind gefunden worden. Von Frau John möchte er nun wissen, wie das alles zusammenhängt.

Anonyme Gratulationen zur Geburt

(2) Durch Hassenreuter erfährt Frau John erstmals vom Tod des Knobbeschen Kindes. Sie hält es für eine Fügung Gottes, daß nicht ihr Adelbertchen mitgenommen worden sei und gestorben ist. Hassenreuter versteht diese Äußerung nicht, versucht aber, das was er weiß, zusammenzubringen. Er überlegt, ob nicht das polnische Mädchen, der Kleiderdiebstahl, das Milchfläschchen und die Zeitungsnotiz miteinander in Beziehung zu bringen sind. Frau John bestreitet einen Zusammenhang und fragt ihn ablenkend, ob er nicht ihren Mann gesehen habe.

Wahn und Wirklichkeit mischen sich

Hassenreuters Kombinationen

Paul John tritt ein. Er hat sich mit dem Kriminalinspektor unterhalten und erfahren, daß die Absperrung Brunos wegen geschah. Verbittert stellt er sich als ein Mann vor, der mit einer Frau verheiratet („verkuppelt“) ist, deren Bruder gesucht wird, weil er unter einem Fliederstrauch eine Frau umgebracht hat. Auf dem Tisch sieht er einen Fliederstrauß und schließt daraus, daß Bruno dagewesen sei. Er werde das Ungeheuer der Gerechtigkeit ausliefern, falls es sich noch einmal blicken lasse. Frau John erwidert höhnisch, von Gerechtigkeit könne er Kindern was erzählen, die gäbe es aber nicht einmal im Himmel. Den Fliederstrauß habe sie im übrigen von ihrer Schwester mitgebracht.

John rückt von seiner Frau ab

John weiß allerdings inzwischen, daß sie gar nicht bei ihrer Schwester war, sondern in der Laubenkolonie übernachtet hat. Sie fühlt sich verraten und wirft ihm vor, die eigene Familie zu zerstören. In dem sich nun zwischen den Eheleuten entspinnenden Streit, in dem Paul John fortwährend auf das Gesindel schimpft, mit dem seine Frau behaftet sei, klärt sich für Hassenreuter, daß es das polnische Mädchen war, das Bruno umgebracht hat. Aber noch sind die Enthüllungen nicht zu Ende. Hassenreuters Versuch zu vermitteln, gelingt nicht. Paul John bezeichnet die Menschen, mit denen er lebt, als Gesindel, bei dem er nicht länger bleiben möchte. Das Haus, die Lebensumstände, das ganze Milieu hält er für verrottet und vom baldigen Zusammenbruch bedroht.

Frau John wirft ihm Verrat an der Familie vor

„Horchen Se ma, wie det knackt, wie Putz hinter de Tapete runterjeschoddert kommt! Allens is hier morsch! Allens faulet Holz! Allens unterminiert, von Unjeziefer, von Ratten und Mäuse zerfressen!" (S. 105) Er möchte nicht, daß sein Kind in dieser Umgebung groß wird und dann vielleicht wie Bruno über die Dächer gehetzt wird oder im Zuchthaus endet. Deswegen will er das Kind zu seiner Schwester bringen.

Rattensymbol: Verrottete Zustände

John will mit dem Kind weg

(3) Frau John, die das verhindern will, schreit ihm entgegen, das Kind sei gar nicht sein Kind, ohne daß er versteht, was sie damit meint. Hassenreuter will in salbungsvoller, wohlgesetzter Rede noch immer vermitteln, doch Frau Johns Verfassung steigert sich zur Raserei. Sie schreit, man wolle ihr das Kind rauben, sie habe es „for Wechwurf uffjelesen", als es „for dot in Lumpen jelejen hat" und erst zum Leben gebracht. Es sei aus ihrem „Leibe jeschnitten" und mit ihrem „Blute erkooft" (S. 106). Jetzt wollten ihr es alle abjagen.

Subjektive Begründung ihrer Mutterschaft

Nun kommt die durch verschiedene Verhöre ihrer Mutter und der Polizei eingeschüchterte Selma. Man hat ihr unterstellt, daß sie das Kind, das das polnische Mädchen auf dem Oberboden geboren habe, zu Frau John in die Wohnung getragen habe. Hassenreuter erkennt nun, daß dies auf seinem Boden geschehen ist. Ein letzter Versuch von Frau John, Selma wegzuschicken, scheitert; sie will nichts verraten, hat es aber im Grunde schon getan.

Stufenweise Enthüllungen . . .

Jetzt nimmt Paul John nochmals Selma ins Verhör und will genau von ihr wissen, was mit dem Kind vom Oberboden passiert ist. Noch vermutet er, das polnische Mädchen sei Brunos Geliebte gewesen und man habe ihr gemeinsames Kind fortgeschafft und es sei nun tot. Selma bestätigt aber, daß das Kind noch lebe. Nun glaubt er, sie habe es der Knobbe untergeschoben.

Zwischendurch bringt Walburga ein neues Motiv ein. Sie will wissen, was an jenem Tag geschah, als sie sich mit Spitta auf dem Oberboden versteckte.

Damit enthüllt sie erstens diese Tatsache und zweitens, daß ihr Vater mit Alice Rütterbusch ein Stelldichein hatte. Von sich selbst ablenkend geht Hassenreuter nun wiederum zu Frau Johns Problem zurück und empfiehlt ihr als „beste Verteidigung" „ganz rücksichtslose Offenheit" (S. 109).

Paul John, immer noch auf falscher Spur, will wissen, was mit dem Kind geschehen ist. Er fürchtet seine Frau habe sich vielleicht daran vergriffen. Den Hinweis seiner Frau, sie würde sich doch nicht an Adelbertchen vergreifen, versteht er wiederum nicht. Er zwingt Selma zur Aussage, worauf sie sagt, das Kind sei bei Johns im Verschlag. Erst jetzt beginnt er die wahren Zusammenhänge zu ahnen.

Seine Frau versucht jedoch Selma unglaubwürdig zu machen. Doch diese gibt nun – wütend über die John – zu, daß sie damals das Kind vom Boden heruntergetragen und bei den Johns ins frisch gemachte Bettchen gelegt habe. Frau John habe nämlich überhaupt kein Kind. Jetzt erst gesteht Frau John den Betrug und erklärt, wie es dazu gekommen ist.

(4) John ist vollkommen erschüttert. Als Hassenreuter, der eine moralisierende Bemerkung nicht unterlassen kann, mit seiner Familie gehen will, will er sich anschließen. Er glaubt nun endlich alles zu wissen und zieht kalt Bilanz: „Also det Kind haste dich beschafft, und wie die Mutter hat wiederhaben jewollt, hast se lassen von Brunon umbringen?" (S. 111) Für ihn steht der Sachverhalt fest, was seine Frau zu einem Ausbruch veranlaßt. Sie klagt ihn an, er sei nicht ihr Mann, er sei von der Polizei gekauft,

um sie ans Messer zu liefern. Sie, die das alles schließlich auch für ihn getan habe, verachte ihn bis zum jüngsten Tag.

Schutzmann Schierke erscheint als Vollzugsorgan der Behörde, bei der schon alles klar zu sein scheint. Er kommt, um das Kind abzuholen und es ins Waisenhaus zu bringen. John distanziert sich nun kalt und zynisch auch von dem Kind, das er nun als „ausgestoppte(s) Balch von Lumpenspeicher" bezeichnet, mit dem „olle Hexen mit Besen Fez treiben", ein Seitenhieb auch auf seine Frau. In letzter, äußerster Verzweiflung will Frau John Hand an das Kind legen „Nu soll et nich leben. [...] Nu muß et mit mich unter die Erde komm." (S. 111) Aber Hassenreuter und Spitta nehmen es ihr nach kurzem Handgemenge weg.

Johns Kälte, Verzweiflung seiner Frau

Mordankündigung

Sie stürzt nach draußen, Frau Hassenreuter merkt ihre Verzweiflung, auch John, nun plötzlich verändert, äußert Sorge um sie, während Hassenreuter sich um das Kind kümmert und meint, seinethalben möge „diese entsetzliche Frau" verzweifelt sein, deshalb brauche sie das Kind nicht zugrunde zu richten. Auch die anderen Anwesenden kommentieren nun das Geschehen. Frau Hassenreuter erkennt, daß Frau Johns Verhalten gerade aus der bis zum Wahnsinn gesteigerten Liebe zu dem Säugling herkomme, und Spitta merkt an, daß erst jetzt (nicht schon mit Pauline Piperkarckas Tod) das Kind seine Mutter verloren habe, womit er den Sachverhalt im Grunde richtig erkennt.

Kommentare zum Geschehen

Quaquaro meint trocken, jetzt ginge wohl das Kind auch zugrunde, Hassenreuter ergänzt: falls es der „Vater dort oben, der alles sieht, nicht anders beschlossen" habe (S. 113). Es entsteht ein Mißverständnis, das die ernste Situation komisch konterkariert, indem Quaquaro den von Hassenreuter angesprochenen Vater im Himmel mit dem Maurerpolier John verwechselt, der sich gewiß nicht des Kindes annehmen werde, weil er in seiner Ehre kitzlig sei.

Komisches Mißverständnis

Frau Hassenreuter äußert Mitleid mit dem Waisenkind, Spitta mit Frau John. Der Theaterdirektor kann das zwar nachvollziehen, aber nicht billigen. Er gesteht dem Kampf der Frau John um das Kind

Mitleid gegen ästhetische Bewertung

Heroisches und auch Verdienstliches zu, hält es aber für zugespitzt und übertrieben und vergleicht ihren Muttertrieb mit dem Gerechtigkeitsfanatismus von Michael Kohlhaas. Die kurz aufblitzende Idee, sich selbst des Kindes anzunehmen, verwirft er sofort wieder, nachdem Quaquaro ihn auf die zu erwartenden Schwierigkeiten aufmerksam gemacht hat.

Spitta erkennt Frau Johns Tragödie und nutzt das als Argument, um seine Position in der steckengebliebenen Kunstdiskussion zu stärken, doch Hassenreuter, dessen Theorien sozusagen von der Realität überwunden sind, wechselt flugs seine Meinung und behauptet, er habe immer schon gesagt, daß Tragik „nicht an Stände gebunden" sei (S. 113). In diesem Augenblick erscheint Selma und erklärt, daß Frau John sich auf die Straße gestürzt habe.

Kunstdiskussion am Beispiel des Lebens

Thematische Aspekte

Großstadtleben

Unter den in der Tragikomödie angesprochenen Themen und Motiven hat das der Großstadt einen bevorzugten Platz. In der Literatur der Jahrhundertwende war dieses Thema sehr beliebt und blieb es bis zum Expressionismus. Es zeigte den Menschen in einem ganz neuen, bisher nicht erlebten Erfahrungsraum. ›Die Ratten‹ sind ein Großstadtdrama, konkreter ein Stück über Berlin, und noch genauer ein Stück über das Leben in einem Mietshaus.

Die neue Realität der Großstadt

Berlin gehörte zu den größten deutschen Städten, es hatte 1876 schon etwa eine Million Einwohner und überschritt 1910 die Zweimillionengrenze. Berlin war nicht nur Reichshauptstadt, sondern auch die Stadt mit den meisten Mietskasernen in Deutschland. Sie bestanden meist aus einem Vorderhaus, das zur Straße hin gelegen war, und einem oder mehreren Hinterhäusern, dazwischen Höfe, in die kaum Licht fiel. Hunderte von Menschen lebten darin. Um die Jahrhundertwende hatte Berlin mit 55 Menschen je Wohngebäude im Durchschnitt die größte Wohndichte von allen deutschen Städten.

Mietskasernen in Berlin

Hauptmann, der 1885–1888 in Erkner, einem Vorort Berlins lebte, zeigte sich fasziniert von der Stadt: „Das ungeheure Lebewesen und Sterbewesen Berlin [...] war mir alpartig gegenwärtig." („Das Abenteuer meiner Jugend", zit. n. Materialien S. 125.) Er empfand ›Die Ratten‹ als Berlin-Stück, als Gattungsbezeichnung wählte er ›Berliner Tragikomödie‹. Er hatte schon früh die Absicht, einen Zyklus von Berliner Dramen zu schreiben, der die Entwicklung der Stadt darstellen sollte (vgl. Materialien, II.3, S. 125 f.). Der Kritiker Alfred Kerr hatte nach der Uraufführung der ›Ratten‹ den Eindruck, hier sei „ein Stadtbild ... zum Drama" geworden (Mat. III.2, S. 129). Tatsächlich fehlt kein berlintypisches Element: neben dem Mietshaus und seinen Bewohnern gibt es den Pferdeomnibus, den Berliner

›Die Ratten‹ als Berlin-Stück

Berlintypische Elemente

Schutzmann und natürlich das berlinische Idiom in seinen verschiedensten Spielarten, daneben auch das, was man als Berliner Straßenlärm bezeichnen könnte: Leierkastenmusik, Kindergeschrei und Kirchenglocken.

Der überall anzutreffende Verstädterungsprozeß vollzog sich in Berlin besonders rasant. Es gehörte zu den Städten mit besonders starkem Zuzug von außen, um 1900 ist weniger als die Hälfte der dort wohnenden Bevölkerung auch dort geboren. Die daraus entstehende Mischung verschiedener Menschen von unterschiedlichster sozialer Stellung und Bildung ist ebenfalls typisch für Berlin. Sie findet sich in der Mietskaserne wieder, in der die handelnden Personen zusammentreffen. Das Haus existierte wirklich, es ist eine ehemalige Kavalleriekaserne im Berliner Nordosten in der Alexanderstraße/Ecke Voltairestraße, Nähe Alexanderplatz.

Mischung verschiedenartiger Menschen in einem alten Haus

Das Miteinander und Gegeneinander, die Konflikte und die soziale und psychische Not, die Hauptmann anschaubar macht, sind großstadttypisch. Der ehemalige Theaterdirektor Hassenreuter beschreibt der sich über die Hausbewohner wundernden Österreicherin Alice Rütterbusch die besonderen Eigenheiten des Hauses und die Mischung der Bewohner:

Beschreibung der Mietskaserne und ihrer Bewohner

„... was so hier in diesem alten Kasten mit schmutzigen Unterröcken die Treppe fegt und überhaupt schleicht, kriecht, ächzt, seufzt, schwitzt, schreit, flucht, lallt, hämmert, hobelt, stichelt, stiehlt, treppauf treppab allerhand dunkle Gewerbe treibt, was hier an lichtscheuem Volke nistet, Zither klimpert, Harmonika spielt – was hier an Not, Hunger, Elend existiert und an lasterhaftem Lebenswandel geleistet wird, das ist auf keine Kuhhaut zu schreiben." (S. 19 f.)

Aus dieser Mischung entwickeln sich die verschiedensten Bewußtseinsformen und Verhaltensweisen. In Hassenreuter, Frau John, Pauline Piperkarcka, Bruno und der Knobbe werden verschiedene Schichten vom Bildungsbürgertum, über Handwerk, Dienstboten, jugendliche Asoziale und Prostituierte zusammengeführt, mit einem typischen Schwerpunkt auf dem Unterschichtenmilieu. Hauptmann sagte

Schwerpunkt Unterschicht

später, er habe in dem Drama „eine unterirdische Welt des Leidens, der Laster und Verbrechen" dargestellt (Die Kunst des Dramas, S. 23).

Als Mitglied der bürgerlichen Schicht verkehrt Hassenreuter nur wegen seines Kostümfundus in der alten Mietskaserne, gehört aber als zwischenzeitlich verkrachte Existenz doch irgendwie auch dorthin.

Hassenreuters Stellung

Unerfüllte Mutterschaft

Frau John, die im Stück auch „Mutter John" genannt wird, gehört von ihrem Gefühl, ihrer Einstellung und ihrem Handeln her in die Reihe der großen Muttergestalten Hauptmanns. Sie ist ein Neben- und Gegenbild zu Rose Bernd im gleichnamigen Drama von 1903, der eine nichtgewollte Schwangerschaft zum Unheil wird.

Gestalt der Mutter bei Hauptmann

> „Die jugendliche Kraftnatur Roses und ihre Einbettung in den natürlichen Wachstumszyklus der schlesischen Landschaft steht im Kontrast zur Unfruchtbarkeit der Städterin in einer naturfernen Mietskaserne." (Sprengel 1988, S. 253)

In ihrer praktischen Tüchtigkeit und Umsicht erinnert sie auch an die Mutter Wolffen aus dem ›Biberpelz‹. Ihre Tragik ist, daß ihr Drang nach Mutterschaft unerfüllt bleibt, nachdem ihr erstes Söhnchen früh gestorben ist. Ihr Verlangen nach einem Kind ist mehrfach begründbar: vital und emotional durch ihren Muttertrieb; sozial durch ihre Einsamkeit, da ihr Mann die meiste Zeit nicht zu Hause ist. Auch der Gedanke, daß ihr Mann sie verlassen könnte, spielt eine Rolle (S. 88 Z. 3 ff.). So gehört ein Kind zur Sinnerfüllung ihres Daseins und außerdem zur Abrundung der (klein)bürgerlichen Familie.

Frau Johns Gründe für den Wunsch nach einem Kind

Schon einmal hat sie ihren Mutterinstinkt bewährt: beim Aufziehen ihres zwölf Jahre jüngeren Bruders Bruno, was allerdings mißglückte: Der Bruder wurde ein jugendlicher Nichtsnutz, aufgrund der sozialen Verhältnisse schon halb-kriminell. Trotz dieser Enttäuschung, die neben der über den Tod des ersten

Bruno als Parallelfall

Kindes steht, kümmert sie sich noch weiterhin um ihn.

Ihr Wunsch nach einem Kind, später ihr leidenschaftlicher Kampf darum, ist Zentrum der Handlung. Er könnte nicht verbissener und kompromißloser geführt werden, wenn es sich um Frau Johns leibliches Kind handeln würde. In gewissem Sinne wird es das auch, weil sie ihm zum Leben verholfen hat: „Wo ick nich war, det wäre schonn vor drei Wochen längst in de Erde verscharrt jewesen." (S. 106) Deswegen kann sie auch sagen, daß das Kind aus ihrem Leben geschnitten und mit ihrem Blut erkauft sei (ebd.).

Begründung der Mutterschaft

Als sie durch die Umstände schon etwas verwirrt ist, verschmilzt in ihrer Vorstellung das angenommene Kind mit ihrem verstorbenen, was auch durch den Namen Adelbertchen ausgedrückt wird, den sie gegen den Widerstand ihres Mannes für beide verwendet.

Identifikation mit dem toten ersten Kind

Die unerfüllte Mutterschaft, der auf keine Weise zum Ziel kommende Wunsch nach dem Kind, entspricht der Thematik des Verfalls. Am Ende steht der Tod beider „Mütter", das Kind als das neue Leben wird keine haben und ins Waisenhaus kommen.

Verfallsthematik

Der Streit um das Kind – Gerechtigkeit

Eng verbunden mit dem Motiv der Mutterschaft ist das der Gerechtigkeit. Beim Kampf der beiden Frauen um das Kind stellt sich die Frage, welcher der „Mütter" das Kind zusteht, welches die ‚richtige' für es wäre, die leibliche oder die ihm gefühlsmäßig nahestehende. Damit wird ein in der Literatur geläufiges Motiv verwendet, das sowohl im Alten Testament, wie in der chinesischen Legende vom Kreidekreis, bei Klabund und bei Brecht aufgenommen wird.

Motivtradition: Zwei Mütter für ein Kind

Da Frau John eine intensive Beziehung zu dem Kind hat und später zwar metaphorisch, aber mit Recht von ihm sagt: „... det Kind is aus meinen Leibe jeschnitten! Det Kind is mit meinen Blute erkooft!"

(S. 106), wäre es gerecht, das Kind im Sinne des Brechtschen Modells im ›Kaukasischen Kreidekreis‹ (1949) *ihr* zuzusprechen, weil sie am besten für es sorgen kann. Aber das geschieht nicht, im Gegenteil: „. . . alle Welt is hinter mich her und will et mich abjagen!" (ebd.) In die Reihe der Verfolger reiht sich durch sein Unverständnis auch ihr Mann ein.

Verschiedene Lösungsmodelle . . . bei Brecht

Im Alten Testament (1 Könige 3, 16 – 28) erweist sich, nachdem Salomon damit gedroht hat, das Kind mit dem Schwert zu zerteilen, die leibliche Mutter als die ‚richtige‘, weil sie das Kind lieber der anderen überlassen würde als es töten zu lassen. Bei Klabund und in der chinesischen Legende wird das Problem ebenfalls in dieser Weise gelöst.

. . . in der Bibel

Hauptmanns Lösung weicht von allen Modellen ab, indem er zwar an das Motiv anknüpft, es aber ins Gegenteil verändert. Er läßt das Kind, um das gestritten wird, – es ist freilich in dieser Szene das falsche, vertauschte Kind der Knobbe – an Unterernährung sterben. Sprengel (1984, S. 152) sieht in dieser Umkehrung einen äußersten Gegensatz der „›Ratten‹-Welt zu einem utopischen Modell von Gerechtigkeit", wie es in allen anderen Lösungen deutlich wird.

. . . und bei Hauptmann

Die Frage der Gerechtigkeit wird des öfteren für verschiedene Personen thematisiert. Paul John sieht sie als strafende Gerechtigkeit. Er würde gerne das „Ungeheuer" Bruno, „Hände und Füße jebunden, an der Jerechtigket ausliefern" (S. 103). Auch seiner Frau gegenüber ist er ‚gerecht‘. Er tut ihr willentlich kein Unrecht, aber er versteht sie nicht und erkennt erst zu spät, was er ihr mit seinem Verhalten angetan hat. Von ähnlicher Art ist die Gerechtigkeit des Pastors Spitta. Auch er distanziert sich, verurteilt, hat kein Verständnis und wird damit ebenso schuld am Tod seiner Tochter wie John am Tod seiner Frau. Beider ‚Gerechtigkeit‘ ist so beschaffen, daß sie die Menschen ruiniert, denen sie angetan wird.

Verständnis von Gerechtigkeit bei John und Pastor Spitta

Henriette John glaubt nicht an die Gerechtigkeit und hält ihrem Mann höhnisch vor, er möge doch Rotznasen was davon weismachen: „Jerechtichkeet is noch nich ma oben in Himmel" (ebd.). Der Verlauf gibt ihr Recht, denn ihr wird keine Gerechtigkeit zuteil und den Kindern auch nicht, weder dem Knob-

Frau John glaubt nicht an Gerechtigkeit

beschen noch dem der Piperkarcka. Das eine stirbt, das andere kommt ins Waisenhaus.

Vor diesem düsteren Hintergrund können Hassenreuters Berufungen auf die sittliche Weltordnung und auf das Walten einer höheren Macht, die für Gerechtigkeit sorgen könnte, nur als ironisch verstanden werden, was er selbst freilich in seiner ideologischen Befangenheit nicht merkt. Sein Urteil über den toten Knobbe-Säugling, von dem er sagt, hier habe jemand „über das unbeteiligte arme kleine Streitobjekt ein wahrhaft salomonisches Urteil gesprochen" (S. 74), ist nur redensartlich und im Grunde objektiv falsch, denn bei dem Urteil Salomons blieb das Kind am Leben (s. Sprengel 1984, S. 152).

Vom Theater fordert Hassenreuter gegen Spitta die „poetische Gerechtigkeit" (S. 53) – auch hier wird er durch das Stück selbst widerlegt.

Bild der Gesellschaft: Verfall

Der anscheinend naturalistische Blick auf einen bestimmten Punkt, das Haus in einem der ärmeren Viertel Berlins, zeigt nichtsdestotrotz etwas Repräsentatives, nämlich einen Querschnitt durch die Gesellschaft des Wilhelminischen Kaiserreichs: Vom Lumpenproletariat über das Kleinbürgertum bis zum Bildungsbürgertum mit Verbindung zu höheren Adelskreisen sind alle Schichten vertreten.

An der Spitze steht die großbürgerliche Familie Hassenreuter, der Theaterdirektor pflegt sogar Beziehungen zu höchsten adeligen Gesellschaftskreisen. Ebenfalls zum Bildungsbürgertum ist die Familie Spitta zu rechnen, der Vater ist Pastor, der Sohn soll es werden. Von dieser bürgerlichen Schicht abgesetzt erscheinen die Bewohner des Hauses. Klein-

bürgerlich, aber mit Fühlern nach oben und unten und selbst sozial stark aufstrebend ist die Familie John, Henriette John als ihre Mitte ist Putzfrau und Fundusverwalterin, ihr Mann Paul als Maurerpolier ein Angehöriger der oberen Handwerkerschicht, ihr

Bruder Bruno hat es zu nichts gebracht, er ist unterste Schicht, Lumpenproletarier. Pauline Piperkarcka aus Skorzenin gehört als Dienstmädchen polnischer Herkunft ohne Stellung und Schlafplatz ebenfalls zu den Unterprivilegierten dieser Gesellschaft, als deren Repräsentant Hassenreuter auftritt. Daß sie sich einmal *von* Piperkarcka nennt, gehört zum Bild: Man will mehr scheinen als man ist.

Lumpenproletarier

Die alkohol- und drogensüchtige Sidonie Knobbe hat offensichtlich einen gesellschaftlichen Abstieg von der feinen zur zweifelhaften Dame hinter sich. Sie gehört nunmehr mit ihren vielen Männerbekanntschaften und ihren verwahrlosten Kindern ebenfalls zum Proletariat.

Wie zeigt sich die dargestellte Gesellschaft? Hauptmann arbeitet mit genauem Blick das Typische der jeweiligen Verhaltensweisen und Reaktionen heraus, ohne in Klischees zu verfallen. Gemeinsam ist allen Repräsentanten dieser Gesellschaft, daß in ihnen problematische, ungesunde Verhältnisse zutage treten, daß sie von Zerfall und Zerstörung bedroht sind. Zentrales Symbol dieser Verhältnisse ist die Ratten-Metapher. Sie ist mehrschichtig und gilt für viele Bereiche.

Ratten als Symbol für Chaos und Zerstörung

Von Hassenreuter wird sie polemisch für alles eingesetzt, was ihm als Konservativem mit reaktionären Zügen nicht gefällt: neue Kunst, Kritik am politischen Leben u. a. Er sieht Staat, Kunst, die sittliche Weltordnung und den deutschen Idealismus als gefährdet und unterwühlt an, was natürlich eine ideologische Position ist, die das abwertet, wofür er nicht einstehen will. Ziel seiner Polemik ist mehr zufällig der tapfere Spitta, der ihn durch seine Ansichten über Kunst gereizt hat:

Hassenreuters Polemik gegen abweichende Meinungen

> „Sie sind eine Ratte! aber diese Ratten fangen auf dem Gebiete der Politik – Rattenplage! – unser herrliches neues geeinigtes Deutsches Reich zu unterminieren an. Sie betrügen uns um den Lohn unserer Mühe! und im Garten der deutschen Kunst – Rattenplage! – fressen sie die Wurzeln des Baumes des Idealismus ab: sie wollen die Krone durchaus in den Dreck reißen. – In den Staub, in den Staub, in den Staub mit euch!" (S. 55)

Diese auf Gegensätzen aufgebaute pathetische Rede stellt Hohes gegen Niederes und argumentiert von einem bürgerlichen politischen Standpunkt aus und denunziert alles, was gegen die offiziell herrschende Meinung ist. In ihrem Pathos wirkt sie unangemessen und lächerlich, vor allem durch die Zitierung der Schlußzeilen des Kleistschen ›Prinzen von Homburg‹, die vor allem die politischen Gegner des Kaiserreichs treffen sollen.

Unangemessenes Pathos

Tatsächlich hat das Ratten-Symbol viel weitreichendere Beziehungen als sich der kaisertreue Bismarck-Verehrer Hassenreuter vorstellen kann. Bei ihm wird es aus dem Künstlerischen ins Politische gewendet und gilt den Kritikern des Wilhelminismus. Auch der Kleinbürger John empfindet die Ordnung als brüchig und vom Verfall bedroht. Er bezieht sich freilich in erster Linie auf seinen Lebenskreis, auf das „Jesindel" und hauptsächlich meint er Bruno, wenn er das Rattensymbol benutzt:

Gegen die Kritiker des Wilhelminismus

> „Horchen Se ma, wie det knackt, wie Putz hinter de Tapete runterjeschoddert kommt! Allens is hier morsch! Allens faulet Holz! Allens unterminiert, von Unjeziefer, von Ratten und Mäuse zerfressen! [. . .] Allens schwankt! Allens kann jeden Oochenblick bis in Keller durchbrechen." (S. 105)

Das gilt aber nicht nur für die von Hassenreuter und John angesprochenen Teilbereiche der Gesellschaft, sondern für die ganze Gesellschaft, für die das Mietshaus ebenfalls als ein Symbol steht. Das von Ratten bewohnte Haus wird zum Gleichnis der Krise der spätbürgerlichen Gesellschaft.

Morschheit des ganzen Gesellschaftsbaus

Hauptmann macht das an dem Fehlverhalten und der Lebenslüge der einzelnen Figuren deutlich. Sie sind Schauspieler und täuschen andere oder sogar sich selbst. Das gilt eigentlich für alle. Frau John und ihr Mann sind davon ebenso betroffen wie natürlich Hassenreuter. Sogar der sozialethische Reformer Spitta bietet kein positives Gegenbild, obgleich er Ansichten vertritt, die auch sein Schöpfer Hauptmann teilte. Sein durchaus ernsthafter jugendlicher Impuls und seine Bemühungen werden ironisiert (s. u.) und vermutlich neutralisiert durch sei-

Lebenslüge der einzelnen Personen

nen Einzug in die Hassenreuter-Welt, der er sich am Ende des Stücks annähert.

Kunst-Leben-Thematik

Hauptmann hat 1911 davon gesprochen, daß die sich in der Mietskaserne abspielenden menschlichen Verflechtungen „gleichnisweise etwas von dem tragikomischen Gehalt des blinden menschlichen Daseins" darstellen (CA XI, S. 810; zit. Mat. II. 2, S. 124). Damit zitiert er immanent die Schopenhauersche These vom blinden Lebenswillen. Sie läßt sich ohne weiteres auf Frau John anwenden, die ihr Leben in einem Kind – und sei es ein beschafftes – fortsetzen möchte, ein Zusammenhang, der bisher noch nicht gesehen worden ist.

Der blinde Lebenstrieb

Auch die anderen Personen folgen ihrem Lebenstrieb und agieren damit meist gegeneinander, und zwar jeweils nur auf derselben gesellschaftlichen Ebene. Hassenreuter trifft – indirekt die Ratten-Metapher zitierend – hier für die untere Schicht das Richtige, wenn er davon spricht, daß die Verzweifelten in der Vorstadt „Brust an Brust, in unterirdischen Löchern und Röhren, um das nackte Leben" kämpfen müssen (S. 100). Sich selbst bezieht er dabei allerdings zu Unrecht ein, denn trotz seiner vorübergehenden Notlage ist er in einer ganz anderen Situation als die Bewohner der Mietskaserne, er kämpft nicht „um das nackte Leben", sondern um einen guten Platz in der Gesellschaft.

Kampf ums Dasein jeweils auf einer sozialen Ebene

Zwischen der Hassenreuter- und der John-Ebene herrscht eine Symbiose, beide brauchen und unterstützen einander. Dagegen kämpft auf der Kleinbürger- und Proletarierebene fast jeder gegen jeden: Frau John gegen die Piperkarcka und (verbal) gegen die Knobbe, John gegen Bruno, Bruno gegen alle außer gegen seine Schwester, Quaquaro überwacht und bespitzelt alle. Auf der Bürgerebene sind die Verhältnisse feiner, hier gibt es neben dem Kampf der Generationen, Väter gegen Söhne und Töchter, nur die Auseinandersetzung zwischen Hassenreuter und dem Schauspieler Jettel.

Kampf der Generationen im Bürgertum

Man kann die beiden Handlungen um Frau John und Hassenreuter als eine Realisation des für die Jahrhundertwende zentralen Themas von Kunst und Leben interpretieren. Ihr Verhältnis zueinander ist die Klammer für die beiden Handlungsstränge.

Sphäre des Lebens . . .

Die John-Handlung läßt sich der Sphäre des Lebens zuordnen: hier geht es um elementare Dinge wie Geburt, Tod, Lebenserfüllung, Familie. Man könnte vom Lebenskampf der Frau John sprechen, wie Hauptmann selbst vom Lebenskampf einer Waschfrau (in bezug auf die Mutter Wolffen im ›Biberpelz‹) gesprochen hat.

. . . und der Kunst

Demgegenüber ist der Hassenreuter-Strang in seinem Schwerpunkt mehr theoretisch angelegt, inhaltlich geht es um Dinge der Kunst, Probleme der Darstellung auf dem Theater usw. Die Verbindung der beiden Stränge liegt nun darin, daß Hassenreuter und Spitta dem Geschehen um Frau John kommentierend gegenüberstehen und es teilweise zum Objekt ihrer Diskussionen über Kunst machen, eben beispielsweise mit der Frage, ob sich eine Putzfrau zur Tragödienheldin eigne. Inwieweit sie dabei dem Leben gerecht werden, ist eine andere Frage.

Hassenreuter: Künstler oder Bürger?

Hassenreuters Künstlertum wird im Stück nicht befragt oder vorgeführt. Möglicherweise ist der Theaterdirektor als Künstler ein Versager, zumindest einen Teilanhaltspunkt dafür bietet sein Bankrott, wenn das allein allerdings auch kein schlüssiger Beweis sein kann. Berger bemerkt, die „Theaterrüstungen der Pappenheimer, die Kisten mit der Aufschrift 'Journalisten'", ein Stück von Gustav Freytag, enthielten sozusagen „das ganze Kunstprogramm Hassenreuters" (S. 44). Der Fundus, mit dem er sich über Wasser hält, gibt auch einen symbolischen Hinweis auf die Fassadenhaftigkeit seines Künstlertums, das in der Hauptsache dem Broterwerb dient. Daß er schließlich den Sprung zurück ans Theater nach Straßburg schafft, verdankt sich

Rollenhaftigkeit des Daseins

offensichtlich mehr seinen Beziehungen als seiner Kunst. Dennoch ist er ein guter Schauspieler – und zwar im Leben, ein nicht unsympathischer Schwadroneur, der gerne gut lebt und sich dazu eine doppelte Moral zugelegt hat, im Grunde also eher ein Bürger als ein Künstler.

Schauspielerei als Kunst, die im Leben helfen soll, ist überhaupt ein Grundzug vieler Personen des Dramas, der von Hauptmann meist in den Regieanmerkungen betont wird. Vor allem von Sidonie Knobbe wird sie besonders gut beherrscht. Sie spielt die große Dame, die unverdient ins Unglück geraten ist. Aber auch Pastor Spitta tritt theatralisch auf, als er das Unglück mit seiner Tochter und seinem Sohn schildert (S. 60 f.). Pauline gibt sich in einer Szene als besorgte Mutter, wenn sie im zweiten Akt „nicht ohne falsche Note ein wenig pathetisch weinerlich" ausruft: „Weine nicht, armes, armes Jungchen, jutes Mutterchen kommen schon!" (S. 45). Der Polizeispitzel Quaquaro spielt den treuen Freund von Paul John.

Auch Frau John verschreibt sich einer Rolle, der der Mutter, und verinnerlicht sie – im Gegensatz zu den andern – so stark, daß sie selbst daran glaubt. Daß sie ein Kind hat, wird zu ihrer Lebenslüge. Nur gegenüber der Piperkarcka verstellt sie sich bewußt und versucht ihr etwas vorzumachen.

Eine andere Gruppe von Personen nimmt an der Schauspielerei als Verhaltensweise im Leben nicht im selben Maße teil: Bruno, Paul John und die Jungen, Walburga und Erich Spitta. Bei ihm bleibt allerdings fraglich, inwieweit sein Empörertum als angenommene Rolle verstanden werden kann, die später abgelegt wird, sobald er sich mit den Verhältnissen arrangiert hat.

Die dramentheoretische Diskussion

Schauspiel und Schauspielerei sind auch inhaltlich ein Thema. Hassenreuter und später auch der junge Spitta sind beruflich an die Kunst gebunden und führen deshalb ständig theoretische Dispute über das Drama, über die Handlung, das Wesen des Tragischen, die Ständeklausel, die tragische Fallhöhe. Diesem Handlungsstrang, in dem Fragen der Kunst diskutiert werden, steht die John-Handlung gegenüber.

Die beiden Handlungsstränge sind aufeinander bezogen und beeinflussen sich gegenseitig. In die Kunstsphäre dringt, manchmal auf komische Weise, das Leben störend ein (die ständig unterbrochene Übungsstunde im 3. Akt), in der Kunstdiskussion wird das mitverarbeitet, was auf der ‚Lebens-Ebene' geschieht. Sie ist insofern ein Kommentar der John-Handlung, wodurch Henriette John zum ästhetischen Diskussions-Objekt wird.

Hassenreuter und Spitta vertreten dabei völlig verschiedene Konzeptionen. Der Theaterdirektor tritt für eine klassische Richtung des Schauspiels ein und wählt nicht umsonst Schillers ›Braut von Messina‹ zum Übungsstoff. Schauspiel ist für ihn Pose und pathetische Deklamation, er glaubt, Tragik durch Pose, durch statuarische Haltung erzielen zu können. Er bemängelt an Spitta, daß dieser in seiner Durchschnittlichkeit, mit seiner kümmerlichen Figur und seiner heiseren Stimme, die „Würde der tragischen Person" nicht ausdrücken könne. Er sei auch nicht, wie verlangt, „von Feld I D mit dem rechten Fuß auf II C getreten" (S. 50 f.). Damit erweist sich Hassenreuter als Vertreter einer alten, abgelebten Schauspielkunst.

Spitta dagegen agiert als Propagandist des Naturalismus, der die Bühne dem Leben annähern will und für Lebensechtheit eintritt. Er beruft sich gegen die Klassik Schillers und Goethes auf den Sturm und Drang, auf Lessing und Diderot, was hier soviel bedeutet wie Kampf gegen den französischen Klassizismus, Forderung der Naturwirklichkeit auf der Bühne, Darstellung nicht nur adeliger, sondern auch bürgerlicher Menschen in tragischen Situationen (Lessing führte das bürgerliche Trauerspiel in Deutschland ein), Bedingtheit der Charaktere durch soziale Einflüsse.

Bei Lessing, beim jungen Goethe und beim jungen Schiller ständen „Sätze, die der Fülle der Kunst und dem Reichtum des Lebens angepaßt, die der Natur gewachsen" seien (S. 54). Spitta kämpft gegen „alles Gestelzte, alles Rhetorische" und kann den „sonoren Bombast" der ›Braut von Messina‹ nicht ausstehen (S. 53). Diese neue Kunstauffassung schließt auch eine neue Moral der Kunst ein, eine

Öffnung und eine Verpflichtung gegenüber dem Leben.

Hassenreuter fragt höhnisch, ob er vielleicht „die tragischen Chöre wie der Gerichtsschreiber ein Gerichtsprotokoll oder wie der Kellner die Speisekarte herunterhaspeln" wolle und hält diese Anschauung für kindisch und für eine „Paraphrase des Willens zum Blödsinn" (ebd.). Was Hassenreuter heilig ist: die Kunst des Sprechens, die Handlung im Drama, die poetische Gerechtigkeit, die tragische Fallhöhe, nach der nur hochgestellte Menschen Objekt der Tragödie sein können, weil nur sie tief fallen können: all dies leugnet Spitta und behauptet, eine Putzfrau könne ebensogut Tragödienheldin sein wie Lady Macbeth und König Lear. Damit setzt er Lessings theoretischen Weg fort. Hatte dieser bürgerliche Personen als Tragödienhelden zugelassen, so erweitert Spitta dies vom dritten auf den vierten Stand. Er beharrt auf seinen Ideen von der Gleichheit aller Menschen vor der Kunst, der Darstellung des wirklichen Lebens auf der Bühne und hält insbesondere Goethes Regeln für Schauspieler für läppisch und für „mumifizierten Unsinn" (S. 54).

Gleichheit der Menschen in der Kunst

Tragödienhelden aus dem vierten Stand

Hassenreuter betont also die Trennung von Kunst und Leben, während Spitta eine Verbindung herstellen will. Er artikuliert damit die naturalistische Theorie des frühen Hauptmann, der in vorderster Reihe zu denen gehörte, die den vierten Stand, das Proletariat auf die Bühne brachten. Künstlerisch ist Spitta auf dem neueren Stand gegenüber Hassenreuters Schauspiel-Klassizismus und deswegen sozusagen im Recht. Dennoch wird auch er von Hauptmann ironisch behandelt und letztlich ins Unrecht gesetzt. Es erweist sich nämlich, daß er, obgleich er über das theoretische Bewußtsein verfügt, seine Vorstellungen von einer neuen Moral der Kunst nicht einlösen kann und über der Fachsimpelei mit Hassenreuter von der ethischen auf die ästhetische Ebene gerät. (Dies ist übrigens auch ein Dilemma des jungen Naturalisten Gerhart Hauptmann: Seine Dramen sind Literatur und nicht Leben.)

Naturalistische Theorie, Verbindung von Kunst und Leben

Die ganze Kunstdiskussion, die kommentierende Auseinandersetzung beider Positionen, greift angesichts der wirklichen Lebenstragödie der Frau John zu kurz und zeigt sich ihr nicht gewachsen. Zwischen Theorie und Praxis, Kunst-Unverbindlichkeit und Lebenstragödie, klafft ein unüberbrückbarer Abgrund. Nicht nur Hassenreuters Kommentar über das „verborgen Verdienstliche" am Kampf der Frau John, sondern auch Spittas rhetorische Frage, ob hier nicht „ein wahrhaft tragisches Verhängnis wirksam gewesen ist" (S. 113), wirkt phrasenhaft, zumal Hassenreuter nun antwortet, daß „Tragik nicht an Stände gebunden" sei und damit rechthaberisch und opportunistisch darauf besteht, das immer schon behauptet zu haben. Dieser Dialog zeigt die Schwäche und Unangemessenheit der ästhetischen Diskussion angesichts der unglücklichen Verstrickung von Frau John, die sie erst das Kind und dann das eigene Leben kostet.

Bei aller Tragik des Geschehens hat diese Blindheit der Ästheten etwas Komisches. Sie trägt – wie vieles andere – dazu bei, die tragische Handlungslinie um Frau John ironisch zu brechen (s. u.). Die Diskussion über ästhetische Fragen kommentiert also nicht nur die John-Handlung, sondern auch ihr eigenes Verhältnis dazu und stellt sich durch die dabei zutage tretende Unangemessenheit selbst infrage. Diese Kommentierung stellt sich damit auch als eine Kritik von Hauptmanns eigenen naturalistischen Positionen aus der Rückschau dar.

John-Handlung	*Hassenreuter-Handlung*
Kampf um das Kind	Wiederaufstieg des Direktors ästhetische Diskussion

Lebenstragik Frau Johns ← Kommentierung des Geschehens

Selbstkommentar des Dramas
wird zur Selbstkritik
des Naturalismus

Die dramatische Form

Handlung

Das naturalistische Drama unterscheidet sich vom klassischen durch den Vorrang von Personen und Milieuzeichnung gegenüber der Handlung. Auch die Dramen Hauptmanns sind in ihrer Grundtendenz mehr beschreibend als dramatisch. Das gilt großenteils auch für ›Die Ratten‹. Die episch-breiten Regieanweisungen sind auf diese Konzeption zurückzuführen. Es kam Hauptmann darauf an, im Drama den Lebensprozeß darzustellen, der als solcher kein Ende kennt. Aus diesem Grunde tat er sich mit den Schlüssen seiner Stücke schwer, und viele seiner Arbeiten blieben Fragmente.

Naturalistisches und klassisches Drama

In einer kurz nach der Beendigung der ›Ratten‹ entstandenen theoretischen Reflexion sagte Hauptmann, die Idee zu dem Drama habe darin bestanden, den „Gegensatz zweier Welten" zu zeigen. Sein Drama habe diese beiden Welten „zum Ausgangsgrund" gehabt, weiter nichts. Denn:

Charaktere und Milieu sind wichtiger als die Handlung

> „Nach meinen Begriffen gibt es eine errechnete Handlung nicht, also gibt es nur eine natürliche. Eine so natürliche Handlung entwickelt sich aus einem Komplex von Personen, die die Notdurft gesellschaftlichen Lebens zueinander bringt und die auch nur natürlich ist." (CA XI, S. 809; zit. Mat. II. 2, S. 124)

Auf diese Weise seien zunächst Hassenreuter mit seinem Fundus in der alten Reiterkaserne und die Reinmachefrau Henriette John zusammengekommen. Alles weitere habe sich aus dieser Beziehung entwickelt, die vom Anfang bis zum Schluß mehr allgemeine als besondere Berührungspunkte aufgewiesen habe.

Verflechtungen zwischen Personen

> „Allerhand Verflechtungen indessen, mechanisch und ideell, bringt ihnen unbewußt das Schicksal in ihre Beziehungen, und diese Verflechtungen und

das Unbewußte dieser Verflechtungen stellen gleichnisweise etwas von dem tragikomischen Gehalt des blinden menschlichen Daseins dar." (ebd. S. 810/S. 124)

Diese Bemerkung weist darauf hin, daß es Hauptmann im Grunde mehr um die (epische) Darstellung eines Seins oder des Lebensprozesses selbst als um eine Handlung mit Anfang und Ende geht. Das, was passiert, dient eigentlich dazu, auf dieses menschliche Dasein im allgemeinen hinzuweisen, das mit den Attributen ‚blind' und ‚tragikomisch' versehen wird. (S. auch Kunst-Leben-Thematik, oben S. 45)

Darstellung des Lebensprozesses

Ausgangspunkt sind also verschiedene Gruppen von Menschen, die sich um Frau John und Hassenreuter gruppieren. Daraus ergeben sich die beiden Handlungsstränge, die nebeneinander geführt werden und sich stellenweise berühren. Der Hauptstrang ist die John-Tragödie, das scheiternde Bemühen um ein Kind und die Entfremdung der Eheleute, daneben steht die Hassenreuter-Handlung. Sie besteht aus einem relativ lose zusammenhängenden Komplex von einzelnen Motiven. Dazu gehört das berufliche Schicksal des gescheiterten Theaterdirektors, das Stelldichein mit seiner Geliebten, die Auseinandersetzung mit seiner Tochter und mit Spitta, der Schauspielunterricht und der Streit um alte und neue Dramaturgie. Am Ende bekommt Hassenreuter die erlösende Botschaft, daß er wieder Theaterdirektor in Straßburg werden kann.

Zwei Handlungsstränge

Die Hassenreuter-Handlung

Die John-Tragödie ist strenger geführt. Ihre Einzelteile bauen aufeinander auf und sind kausal aufeinander bezogen. Aus dem Motiv des Muttertriebs und seiner ausbleibenden Erfüllung folgt, daß Frau John sich ein Kind verschafft und gegen die Versuche, es ihr wieder zu entreißen, alle möglichen Mittel einsetzt. Dieser Handlungsstrang hat Spannungsmomente und entspricht erstaunlicherweise, wie Mennemeier ausgeführt hat, eher dem traditionellen Tragödienaufbau nach Gustav Freytag als einer naturalistischen Zustandsbeschreibung:

Konventionelle Bauweise der John-Handlung

„Erster Akt: Exposition (Frau Johns Anschlag auf die Piperkarcka), zweiter Akt: Steigerung samt erregendem Moment (die Piperkarcka macht Rechte auf ihr Kind geltend), dritter Akt: Höhepunkt (Streit zweier Mütter um ein Kind), vierter Akt: Fallende Handlung (Frau Johns Rückkehr, Brunos Mordgeständnis), fünfter Akt: Katastrophe (John selber [...] enthüllt den Kindesraub; Selbstmord Mutter Johns)." (S. 74)

Mit dieser nach traditionellen Kriterien beschreibbaren Anlage wird Hauptmann sozusagen seinen eigenen Prinzipien untreu.

Die John-Tragödie ist analytisch angelegt, das heißt, sie ist eine Enthüllungshandlung, bei der fortschreitend ein früherer Vorgang, also die Unterschiebung des fremden Kindes zum Vorschein kommt. Nur der Zuschauer ist von vornherein orientiert; zumindest kann er schlußfolgern, was zwischen dem ersten und zweiten Akt geschehen ist, nämlich die Entbindung der Piperkarcka. Die anderen Beteiligten im Drama, vorzugsweise der Kreis um Hassenreuter und der Ehemann John, erfahren es erst nach und nach.

Analytische Handlung: Enthüllung des ausgesparten Teils

Die beiden Handlungsstränge spielen auf verschiedenen sozialen Ebenen, sie berühren sich an einigen Punkten, ohne direkt im Sinne gegenseitiger Beeinflussung aufeinander einzuwirken. Sie haben aber einen Bezug zueinander, als Handlung (John-Ebene) und Kommentar der Handlung (Hassenreuter-Ebene). Ihr Verhältnis läßt sich außer auf der sozialen Ebene durch die Kategorien Komik/Tragik und (wie dargestellt) Kunst/Leben erfassen.

Berührungspunkte der beiden Handlungen

In der Literatur ist (von G. Kaiser) die Ansicht vertreten worden, die Hassenreuter-Ebene verhalte sich wie der Chor im antiken Drama:

„Hauptmann knüpft [...] speziell an den Chor in der ›Braut von Messina‹ an, den Schiller in diesem Drama erneuert, und die Hassenreuter-Episoden selbst sind eine sinnreiche Erneuerung und Verwandlung des antiken Tragödien-Chors. Der Chor als idealisierter Zuschauer – genau das stellt sich im Theaterdirektor Hassenreuter mit seinem Kreis dar." (S. 376)

Vergleich der Hassenreuter-Handlung mit dem antiken Chor

Allerdings weiche dieser Chor dann vom antiken Vorbild ab. Während dieser

"von der tragischen Erschütterung ergriffen und
verwandelt [werde], so wie sich die Welt in der tragischen Krise reinigt und verwandelt",

wird der Hassenreuter-Chor

"des Blickes in den tragischen Abgrund gewürdigt,
ohne daß er die große Verwandlung erführe, die aus
der Erkennung der tragischen Lebensantinomien
fließt" (S. 378);

es geht alles weiter wie bisher.
Schematisch lassen sich die Handlungsstränge und
ihr unterschiedlicher Verlauf etwa folgendermaßen
darstellen:

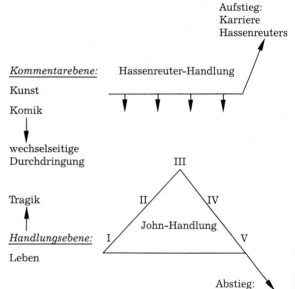

Symbolik des Raumes

Das Geschehen in der alten ehemaligen Reiterkaserne entfaltet sich an zwei Spielorten, die zugleich Lebenssphären repräsentieren: dem Dachboden, wo der Fundus Hassenreuters untergebracht ist, und der Wohnung der Familie John. Stimmungsmäßig stehen die beiden Räume in starkem Gegensatz zueinander. Der Boden ist der Ort der Ratten, des Dunklen, Unheimlichen, was dort geschah und geschieht – der Selbstmord des Soldaten Sorgenfrei, die Niederkunft der Piperkarcka, die heimlichen Treffen, – all das scheut das Licht des Tages. Der finstere Bruno ist hier zu Hause und auch der zwielichtige Hausverwalter Quaquaro. Obgleich es sich um einen Boden handelt, ein ,Oben' also, stellt er eine Art Unterwelt dar, ein Hinweis darauf ist die Bezeichnung „Zerberus" für Quaquaro durch John. Hier spielen der erste und der dritte Akt.

Die Wohnung der Johns, Schauplatz des zweiten, vierten und fünften Aktes, liegt im zweiten Stock des Hauses. Sie ist kleinbürgerlich ausgestattet: das mit Wachsleinwand überzogene Sofa, die Ecke mit den Familienbildern, Küchenschrank, Herd, Lehnstuhl aus Rohr und einige Holzstühle: die Einrichtung ist dürftig, aber sauber und gepflegt. Im Gegensatz zu dem verrotteten, staubigen Boden wird hier der Eindruck von Helligkeit und Ordnung vermittelt, zugleich eine gewisse Abgeschlossenheit. Der rattenhafte, schleichende Bruno gehört nicht zu dieser Welt; es ist kein Zufall, daß Paul John ihm die Tür weist.

Sowohl Boden wie Wohnung sind die Begegnungsorte für die Personen des Stücks. Während in anderen Dramen nach dem Modell ,Vorderhaus-Hinterhaus' eine soziologische Zuordnung der verschiedenen Gruppen möglich ist (wie z. B. in Sudermanns ›Ehre‹), sind die Beziehungen hier wesentlich komplizierter. Die Hauptpersonen haben Anteil an beiden Sphären: Frau John verwaltet nicht nur die geordnete Welt ihrer Wohnung, auf dem Dachboden kämpft sie vergeblich gegen Staub und Motten und benutzt den Boden für ihre heimlichen Geschäfte.

Hassenreuters bildungsbürgerlicher Kosmos ist zumindest teilweise verrottete Kulisse, innerlich hohl. Er kann sich noch einmal retten und wird vom Maskenverleiher wiederum zum Theaterdirektor. Dagegen wird die kleinbürgerliche Idylle der Johns am Ende von der dunklen Unheimlichkeit der Dachbodensphäre überwältigt.

Hauptcharaktere

Es wurde schon gesagt, daß Hauptmanns Hauptaugenmerk auf der Herausarbeitung der Charaktere liegt. Sie werden mit Sympathie oder Mitgefühl gezeichnet, jedenfalls die der unteren Schicht; ironisch gesehen wird der Kreis um Hassenreuter. Aus der Konstellation der Charaktere ergibt sich die Handlung.
Die wichtigsten Personen sind:

Frau John:

eine Hauptmannsche ‚Heldin': tüchtig, mütterlich und wesentlich bestimmt durch ihren Mutterinstinkt; sie fühlt stark und elementar und handelt triebhaft in ihrem Wunsch nach dem Kind. Sie arbeitet hart und ist vom Willen zum sozialen Aufstieg beseelt, ähnlich wie die Mutter Wolffen im ›Biberpelz‹, ursprünglich übrigens auch aus Schlesien stammend wie diese. Sie ist auch schlau und rechenhaft und verleiht Geld gegen hohe Zinsen, weiß aber schließlich nicht mehr, wozu dies alles dienen soll. Von ihrem Mann fühlt sie sich allein gelassen. In ihrer Einsamkeit und der Trauer um ihr erstes Kind wird sie monomanisch und pathologisch; um ihr Ziel zu erreichen, scheut sie auch nicht vor fragwürdigen Mitteln zurück und setzt sie skrupellos ein. Im Gegensatz zu Frau Wolffen im Biberpelz hat sie plötzlich das Spiel nicht mehr in der Hand und wird zur Gejagten. Daß ihr Mann sich von ihr abwendet, nimmt ihr den letzten Halt.

Hassenreuter:

eine wilhelminische Figur, gesellschaftlich gewandt, gegen sozial nicht Ebenbürtige jovial, manchmal grob, verbal eine großspurige Kraftnatur mit großbürgerlichem Bildungshintergrund, von dem er gerne Gebrauch macht; redet oft phrasenhaft über Sachen hinweg, nicht ohne Empfindung, aber etwas geschäftig-oberflächlich, manchmal verlogen; als Staatsbürger kaiser- und reichstreu, deutschnational eingestellt; mit seinem Kaiser, Wilhelm II., hat er gemeinsam, daß er Leute mit abweichender Meinung als Reichsfeinde und Zersetzer – „Ratten" – brandmarkt. Künstlerisch ist er sehr konservativ; im Zeichen der klassischen Bildung betreibt er Kunst als Geschäft; im Grunde eher ein Bürger mit Doppelmoral als ein Künstler (vgl. auch oben unter Kunst-Leben-Thematik, S. 45)

Hassenreuter als ,wilhelministischer' Typus

Spitta:

ein junger Mann, körperlich eher kümmerlich, aber idealistisch denkend und kämpferisch, mit neuen Ansichten über Kunst und Leben. Er hat sozialreformerische Ideen und stößt sich an der Verlogenheit der Väterwelt, besonders an dem hartherzigen Christentum seines Vaters und an Hassenreuters antiquiertem Bildungsideal. Er will alles anders und besser machen und für die Entrechteten und Herumgestoßenen eintreten. In der Kunst vertritt er naturalistische Ideen. Gleichwohl ist er kaum als leuchtendes Gegenbild zu der Vätergeneration konzipiert, denn er wirkt etwas unreif und überspannt. Man darf annehmen, daß er mit seinen Ideen nicht allzuweit kommt, weil er sich möglicherweise von der Bürgerwelt (Verbindung mit der Familie Hassenreuter) vereinnahmen läßt.

Der jugendliche Idealist

Bruno:

verwahrloster Großstadtjugendlicher ohne Beruf und Arbeit, unheimlich in Gestalt und Auftreten, tierhaft schleichend und lauernd, er erinnert an eine Ratte; milieubedingt wird er zum Verbrecher, was er dumpf fühlt; er entschuldigt sich mit der Feststellung, daß er nicht in Sanssouci geboren sei; er ist kaltschnäuzig und zynisch, aber auch ein armer und

Bruno vertritt die dunkle Welt des Verbrechens

unbeholfener Kerl, der von seiner Schwester abhängig ist.

Pauline Piperkarcka:

ein verzweifeltes Dienstmädchen polnischer Herkunft aus Skorzenin in Westpreußen, das nur gebrochen Deutsch spricht, ein Kind erwartet und von ihrem ‚Bräutigam' verlassen wurde. In der ersten Szene erscheint sie „dienstmädchenhaft aufgedonnert" (S. 5). Sie ist rachsüchtig und voller Haß auf ihren ehemaligen Bräutigam; das Kind ist ihr zunächst gleichgültig, später soll es ihr dazu dienen, ihren ehemaligen Bräutigam dazu zu bringen, daß er sie heiratet. Ihre Mütterlichkeit in der Auseinandersetzung mit Frau John wirkt gespielt. Trotzdem kämpft sie mit verzweifelter Wut um ihr Kind. Als sie mit Bruno unterwegs ist und durch die Kaschemmen zieht, zeigt sich, daß sie doch etwas liederlich ist.

Verzweifeltes Dienstmädchen

Paul John:

tüchtiger, strebsamer Handwerker, sozialdemokratisch eingestellt, aber gleichzeitig auf dem Weg zur Bürgerlichkeit; ehemals auch militärbegeistert und stolz auf sein Eisernes Kreuz; etwas eng in seinem Denken; er hat Familiensinn, neigt zur Ausgrenzung der anderen, betont seine Ordentlichkeit und Rechtlichkeit, will mit Bruno nichts zu tun haben; er leidet unter dieser Verwandtschaft und flüchtet sich an einen entfernten Arbeitsplatz, weil er sich zu Hause nicht wohl fühlt:

Paul John: enges Denken

> „Det war meine Angst, deshalb bin ick schonn lieber jar nicht zu Hause jekomm, det mein eejnet Weib mit so 'ne Jesellschaft behaftet is und hat keene Kraft nich abzuschütteln." (S. 104)

Er ist hart gegen seine Frau und hat kein Verständnis für das, was sie getan hat. Als sie seine Hilfe braucht, läßt er sie im Stich und wird deshalb mitschuldig an ihrem Tod.

Die anderen Personen sind Nebenfiguren, Pastor Spitta, der in seiner traditionellen Frömmigkeit unflexibel und widerchristlich geworden ist und die

Welt nicht mehr versteht; Frau Hassenreuter als brave mütterliche und verzeihende Gattin, Walburga als höhere Tochter und Frau Knobbe, die aus besseren Kreisen stammt, den Abstieg zur rauschgiftsüchtigen Dirne hinter sich hat und ihre Kinder verwahrlosen läßt.

Sprache der Personen

Im Naturalismus wurde versucht, die gesprochene Sprache möglichst naturgenau wiederzugeben, mit allen Besonderheiten und Fehlern der mündlichen Artikulation. Damit veränderte sich die Dramensprache grundsätzlich. Ein spätnaturalistisches Stück wie ›Die Ratten‹ behält selbstverständlich diese Neuerungen und ihre Möglichkeiten bei und nutzt sie zur Kennzeichnung von Charakter und sozialer Lage der Personen.

Neue Möglichkeiten des Naturalismus

Hauptmann hat sich immer sehr sorgfältig bemüht – durch Notieren von Gehörtem und durch Benutzung von Wörterbüchern – lokale und dialektale Eigentümlichkeiten genau zu rekonstruieren. Kenner des Berlinischen wie Tucholsky und Siegfried Jacobsohn haben die Echtheit des von Hauptmann verwendeten berlinischen Dialekts bestritten, wobei Jacobsohn in seiner zweiten ›Ratten‹-Kritik von 1916 zugab, daß Hauptmann trotzdem das Wesen der Stadt und der Bevölkerung getroffen habe (Die Schaubühne 12/1916, S. 608). Man muß auch bedenken, daß das Berlinische ohnehin eine Mischung ist, in der das Schlesische (wie auch im ›Biberpelz‹) einen nicht geringen Anteil hat; weiterhin, daß ein Großstadt-Dialekt nicht so normiert sein kann wie die Hochsprache.

Berlinisch oder nicht?

In den ›Ratten‹ stehen sich in der Hauptsache zwei Personengruppen gegenüber, die durch ihren Sprachgebrauch sozial gekennzeichnet sind: die Personen um Hassenreuter und die beiden Spittas artikulieren sich hochdeutsch, während die Gruppe um Frau John und die Bewohner des Hauses den Berliner Dialekt in verschiedenen Ausprägungen

Kennzeichnung der Sozialebene durch Dialekt bzw. Hochsprache

benutzen. Das entspricht genau den sozialen Ebenen und grenzt sie voneinander ab.

Außer der Kennzeichnung der sozialen Stellung dient der Dialekt zur Charakterisierung der einzelnen Personen, deren Sprechen durchaus unterschieden werden kann, und zwar sowohl im Wortschatz als auch im Satzbau, was besonders deutlich wird beim Vergleich Frau John – Bruno. Der Dialekt unterliegt nicht hochsprachlichen grammatischen Normen, sondern entwickelt eigene Normen für das regional übliche oder ,richtige' Sprechen, von denen aber auch abgewichen werden kann. Je nach der sozialen Stellung der Person bewegt sich die Sprache mehr oder weniger stark zwischen lokalen und hochdeutschen Bestandteilen.

Zu denen, die am deutlichsten durch Abweichungen von der Normalsprache nach ,oben' oder ,unten' charakterisiert werden, gehören vor allem Hassenreuter und Bruno. Der Theaterdirektor führt seine klassische Bildung stets im Munde, gebraucht lateinische Redewendungen und seltene Wörter (ab ovo, urbi et orbi, subura, Chignon usw.) und macht mit Anspielungen und Zitaten immer wieder seinen Bildungshintergrund deutlich. Er spricht jovial, salbungsvoll und bildhaft, formuliert lange Sätze, die teilweise phrasenhaft und mit nationaler Tendenz ideologisch geprägt sind („deutsche Kulturarbeit an der westlichen Grenze", S. 18; „Dann habt ihr kein deutsches Herz im Leibe!", „. . . diese neue künftige Generation wird wissen, was sie dem Schmiede der deutschen Einheit, dem gewaltigen Heros schuldig ist" S. 34) Recht oft redet er auch leichthin über die Dinge hinweg, ohne sie wirklich zu treffen, manchmal redensartlich-oberflächlich, manchmal auch verlogen.

Brunos Sprache ordnet ihn auf der Sozialskala tief unten ein, er spricht einen volltönenden, breiten Dialekt (die Silbe ,er' wird fast immer durch ,a' wiedergegeben, z. B. „vastehste", „eha" statt eher usw.). Neben der – stärker als bei anderen Sprechern – fehlerhaften Syntax ist der Wortschatz das auffälligste Kennzeichen, er entstammt der Gauner- und Dirnensprache. Manche seiner Bestandteile sind dem

Zuhörer vielleicht geläufig (baldowern, Pinke, Dohle, Tülle), andere nur aus dem Zusammenhang verständlich (Plattmullje, Trittlinge, Dalles, Bammelmann machen), manche auch gar nicht, wie z. B. das Wort „Lampen" als Warnruf, „Molum" für Rausch, „Verkümmler" für Hehler, „Schublade" für Wirtshaus und/oder weibliches Geschlechtsteil, „vaschütt jehn" für ins Gefängnis müssen. Hauptmann hat dafür spezielle Wörterbücher benutzt (s. dazu Bellmann). Es kam ihm vielleicht mehr auf die Aura der Wörter als auf die genaue Entschlüsselung durch den Zuschauer an. Einiges ist auch sehr bildhaft wie „Plattmullje" für Brieftasche, „...so eenfach schiebt sich det nu eemal nu eben nich", „Ast uff'n Puckel" und „nich in Zangzuzih uff die Welt jekomm" (S. 11) für seine soziale Unterprivilegierung.

Gaunersprache, teils unverständlich

Frau John verfügt als einfache Frau dennoch über eine breite Skala von Ausdrucksmöglichkeiten, weil sie sehr impulsiv und spontan reagiert. Sie hat immer ihr Ziel vor Augen und setzt ihre Sprache je nach Situation und Sachlage ein, z. B. überredend mit verschiedener Intensität gegenüber Pauline, schimpfend und kalt drohend gegenüber ihrem Bruder. Ihr Sprechen ist zuweilen gegenläufig zu ihrem Verhalten, das etwas anderes vermittelt, etwa beim Besuch Paulines (S. 43 f.) ihre heuchlerische Freundlichkeit, während die Regieanmerkung den „verzehrenden Ausdruck namenlosen Hasses" signalisiert (S. 44).

Frau Johns verschiedenartige Ausdrucksmöglichkeiten

Als Berlinerin ist sie zwar nicht auf den Mund gefallen, doch unterscheidet sie von klassischen Tragödienhelden, daß sie für ihr Leiden keine Worte hat. Je mehr sie unter Druck gerät, um so mehr neigt sie zu monologischen Äußerungen, die nicht oder nur scheinbar an einen Partner gerichtet sind, z. B. am Ende des zweiten Aktes: „Angst! – Sorje! – Da wißt ihr nischt von!" (S. 48) Ihre Schwierigkeit besteht auch darin, daß sie über ihre wirklichen Probleme mit niemandem reden kann. Nach der Ästhetik Hassenreuters würde sie nach dem Scheitern ihrer Pläne einen Monolog deklamieren; ihre letzten Worte, bevor sie sich aus dem Fenster stürzt: „Nu soll et nich leben! [...] Nu muß et mit mich unter de

Dennoch kein Ausdruck für ihr Leiden

Erde komm" (S. 111) weisen nur emphatisch auf den äußersten Grad ihrer Verzweiflung hin und lösen anschließend die Sprache durch Handeln ab.

Weniger sprachliche Momente als Gestik und Requisiten bestimmen auch die Szene am Ende des vierten Aktes, als Bruno mit Fliederzweigen am Hut und in der Hand hereinkommt und seiner Schwester den Mord bzw. Totschlag an Pauline gesteht und sie voneinander Abschied nehmen. Sie erschließt es indirekt aus seinen Fluchtplänen, aus den Striemen an seinem Handgelenk und aus der Bemerkung über das Glockenläuten, das Pauline um halbvier am Morgen noch hätte hören können. Zum Abschied schenkt er seiner Schwester ein Hufeisen, das ihr Glück bringen soll.

Ablösung der Sprache durch Handlungen

Sehr ernsthaft und pathetisch und mit expressionistischen Anklängen sprechen der junge Spitta und Walburga miteinander. Spitta bezeichnet sich als einen Menschen, „in dem es gärt und der etwas Besonderes, Dunkles, Großes will", ohne noch recht zu wissen was. Mit expressivem Pathos deutet er auf Künftiges: „In uns liegen die Keime. Der Boden lockert sich schon! Wir sind, wenn auch noch unterirdisch, die künftige Ernte! Wir sind die Zukunft!" (S. 83) Walburgas Schilderung, wie sie gegen Widerstände von zu Hause weggekommen ist, verrät rhetorische Bildung, z. B. durch die steigernde Reihung „mit der allergrößten Schlauheit, mit der allergrößten Entschlossenheit, mit der allergrößten Rücksichtslosigkeit" (S. 82). Ähnlich der junge Spitta bei der Anklage gegen seinen Vater:

Erich Spittas expressives Pathos

Gehobene Rhetorik der Bürgerkinder

> „O diese Christen! O diese Diener des guten Hirten [...] O du lieber Heiland, wie sind deine Worte verkehrt, deine ewigen Lehren in ihr Gegenteil umgefälscht worden." (S. 83)

Andererseits kann er auch ziemlich altklug daherreden, beispielsweise gegenüber der lebenspraktischen Frau Hassenreuter:

> „Daß ich vorläufig arm bin und meine Suppe hie und da in der Volksküche essen muß, untergräbt meinen Glauben an mich und eine bessere Zukunft nicht." (S. 98)

ine Argumentation, die seine reformerischen Ideen zugunsten des eigenen Glückes in den Hintergrund stellt (wobei man allerdings beachten muß, daß er dies gegenüber seiner künftigen Schwiegermutter äußert).

Während die Piperkarcka durch ihr gebrochenes Deutsch mit falschem Satzbau sozial ziemlich tief unten angesiedelt wird, sind zwei andere Frauengestalten durch ihre Sprache sozial nicht festzumachen: Alice Rütterbusch spricht ein österreichisch gefärbtes Hochdeutsch, das sie sozial nicht einordnet; Sidonie Knobbe – obschon Bewohnerin der Mietskaserne – unterstreicht mit ihrem sehr guten Deutsch, das sie ohne jeden Dialekt-Anklang und sehr theatralisch spricht, ihre angebliche gute Abkunft.

Grenzen sprachlicher Zuordnung

Tragikomödie, ironische Grundhaltung

Die zeitgenössischen Beurteiler haben die Frage nach der künstlerischen Einheit der ›Ratten‹ gestellt. Sie bezieht sich auf die Machart des Stücks, auf die gemischte Gattung und auf die ironische Vieldeutigkeit, mit der Hauptmann seinen Stoff behandelt. Die eine Handlungslinie ist tragisch-ernst, die andere eher komisch, sie scheinen nicht zueinander zu passen. Weder das Tragische noch das Komische erscheint in reiner Form, vielmehr wird eins durch das andere gebrochen und damit infrage gestellt oder ironisiert. Die beiden Phänomene Tragikomik und Ironie sind eng miteinander verbunden.

Mischung tragischer und komischer Elemente

‚Tragikomödie‘ ist ursprünglich auch eine Gattungsbezeichnung, die auf das Vorkommen von Personen verschiedenen Standes hinwies. Nach der bis zur Aufklärung geltenden Ständeklausel war die Tragödie hohen Personen vorbehalten, die Komödie den niederen Ständen. Später setzte sich der Begriff für eine Mischform aus Komik und Tragik durch, wobei sich beide Elemente durchdringen sollen.

Verbindung mit der Ständeklausel

In der Hassenreuter-Handlung überwiegt das Komische: die Scheinheiligkeit des Theaterdirektors, die

**Hassenreuter-
Ebene von Komik
bestimmt**

**Der Begriff des
Tragischen**

**Hebbels Definition
der Tragikomödie**

**Verflechtung von
Komischem und
Tragischem**

**Verschiedene
Blickwinkel**

**Gemischte
Empfindungen**

Diskrepanz zwischen Anspruch und Wirklichkeit, die Phrasenhaftigkeit seines Redens, das gestörte Stelldichein, der unterbrochene Unterricht usw. sind Elemente, die in der Komödie ihren Platz hätten. Auch Spitta in seiner jugendlichen Ernsthaftigkeit und Unbeholfenheit wirkt komisch.

Die John-Handlung kann für sich insgesamt als tragisch eingestuft werden, allerdings nicht im herkömmlichen Verständnis von Tragik. Der Anspruch Frau Johns steht nicht gegen einen übergeordneten Wert in einer als sinnvoll gedachten Welt, dem sie in ihrem Kampf unterliegt, sondern gegen die Blindheit des Lebens, die Sinnlosigkeit des Geschicks, das ihr nun einmal keine Kinder beschert hat, obgleich sie eine ideale Mutter sein könnte.

Friedrich Hebbels Definition der Tragikomödie aus seinem Sendschreiben zu ›Ein Trauerspiel in Sizilien‹ scheint hier gut anwendbar zu sein. Hebbel sagt dort, die Tragikomödie „ergibt sich überall, wo ein tragisches Geschick in untragischer Form auftritt, wo auf der einen Seite wohl der kämpfende und untergehende Mensch, auf der anderen jedoch nicht die berechtigte sittliche Macht, sondern ein Sumpf von faulen Verhältnissen vorhanden ist, der tausende von Opfern hinunterwürgt, ohne ein einziges zu verdienen".

Der Begriff der Tragikomödie meint, daß es keine klare Trennung der beiden Möglichkeiten, kein Nebeneinander von Komischem und Tragischem gibt, sondern eine Verflechtung von beidem, die das Widersprüchliche des ‚blinden' Lebens zeigt. Deswegen ist es falsch, und letztlich nicht möglich, die beiden Elemente voneinander trennen zu wollen, weil sie, sich gegenseitig relativierend, beim Zuschauer *eine einzige* gemischte Empfindung hervorrufen.

Karl S. Guthke hat als Basis des Tragikomischen herausgearbeitet, daß eine Sache in doppeltem Licht, von verschiedenen Blickwinkeln aus, erscheint. Tragik und Komik sind auch Weltsichten, die einander eigentlich ausschließen müßten. Werden sie beide gleichzeitig verwendet, so wird die dargestellte Wirklichkeit schillernd und fragwürdig (vgl. Berger, S. 112). Ebendies bewirkt auch die Ironie, mit der Hauptmann sich eben nicht für tragische oder komische Sicht zu entscheiden braucht, sondern alles in der Schwebe hält. Der Autor weigert sich sozusagen, für eine Sicht Partei zu ergreifen und läßt beide nebeneinander bestehen.

Als Mittel zur Erzielung ironischer Wirkungen und potentiell tragikomischer Empfindungen beim Zuschauer verwendet Hauptmann Kontraste und Diskrepanzen, die auf den Raum, auf die Figur oder auf Situationen bezogen sein können. Am deutlichsten ist der Gegensatz von hoher Tragödie und dem Milieu der verkommenen Mietskaserne, den Hassenreuters Schauspielunterricht beschwört. Hauptmann wählt die Zitate aus der ›Braut von Messina‹ so aus, daß sich mehrfache inhaltliche Korrespondenzen ergeben:

Felder des Tragikomischen: Raum, Figur, Situation

> „Dich begrüß' ich in Ehrfurcht,/ prangende Halle,/ dich, meiner Herrscher/ fürstliche Wiege,/ säulengetragenes, herrliches Dach" (S. 49)

erzeugt einen beinahe parodistischen Kontrast zwischen dem Pathos Schillers und dem schmutzigen Dachboden.

Parodistische Kontraste

Keineswegs ist er eine prangende Halle, eine Wiege wird er sein, aber nicht von Herrschern, sondern von einem armseligen Kind, das ins Waisenhaus kommen wird. Damit wird – zumindest potentiell – mitten in der parodistischen Lach-Szene die ernsthafte Seite der Begebenheiten angesprochen. Nach Hassenreuters Wutausbruch wegen der nach seiner Ansicht unzureichenden Deklamation geht es weiter mit der Verszeile: „Zürnend ergrimmt mir das Herz im Busen . . ." (S. 50).

Das Ernste im Lustigen

Viele weitere Einzelheiten der Handlung, der Figur, der Situation sind hier zu nennen, die einen ironischen Schein auf das ganze Geschehen werfen: die mißglückte Kommentierung der John-Handlung durch die sich wichtig nehmende Kunst, die falschen Einschätzungen der Situation und die Verkennung der Wirklichkeit durch einzelne Personen, etwa wenn Paul John spaßhaft sagt, das Kind sei auf dem Dachboden bei den Ratten und Mäusen geboren, oder wenn Hassenreuter das glückliche Familienleben der Johns preist (S. 32) oder seine Frau behauptet, das Kind sei John „wirklich wie aus dem

Beispiele für tragikomische Empfindungen

Gesicht geschnitten" (S. 33). Hassenreuter und die Seinen liegen oft ganz falsch mit dem, was sie sagen. Sprengel (1988) meint dazu, das „Unvermögen gebildeter – und zwar gerade in Fragen ästhetischer Einschätzung gebildeter – Beobachter, eine unmittelbar vor ihnen und mit ihrer unwissenden Mitwirkung abrollende Tragödie wahrzunehmen", müsse beim Zuschauer „eine spezifisch tragikomische Wirkung erzeugen" (S. 265).

Vorausgesetzt ist freilich, daß der Zuschauer bereits die ganze Handlung überblickt und mehr weiß als die handelnden Personen.

Ein anderes Beispiel für die Durchdringung beider Weltsichten, bezogen auf eine Situation, ist der Augenblick der Aufdeckung kurz vor dem Ende des

Untrennbarkeit der Empfindungen

Stücks. Als Frau Johns Pläne gescheitert sind, sie in höchster Verzweiflung ist und das Kind als nunmehrige Waise vielleicht zugrunde gehen wird, gibt es ein komisches Mißverständnis, in dem der Hausmeister Gottvater mit Paul John verwechselt wird.

Die ironische Relativierung erfaßt nacheinander beinahe alle Personen und Verhältnisse. Wird die bürgerliche Hassenreuter-Welt und das enge Christentum des Pastors Spitta durch den sozialreformerischen Elan des jungen Spitta infrage gestellt, und

Ironische Brechung der Positionen

überhaupt die Welt der Väter durch die Jungen, so relativieren sich auch deren Positionen am Ende. Sie verlieren ihren Vorbild- und Empörercharakter und nähern sich der bürgerlichen Welt an, bleiben ebenso verständnislos wie diese gegenüber der Tragödie der Frau John. Nur deren Verhalten wird nicht durch Ironie gebrochen – wohl aber, wiederum auf einer höheren Ebene, die Situation, in der sie sich befindet. Sie will das neue Leben für sich, die Familie, das Kind der Piperkarcka, und findet den Tod.

Hassenreuter wäre vermutlich ein Verfechter der Tragödie als der höchsten Kunstform, aber seine Anschauung davon ist blutleer; er selbst wirkt ko-

Umkehrung der Ständeklausel

misch. Hauptmann kehrt hier die alte Ständeklausel um, indem er die Tragödie bei den Unteren und die komischen Vorkommnisse und den guten Ausgang bei den gesellschaftlich Höherrangigen stattfinden läßt.

Zur Gesamtstruktur

Die Einwände der Kritiker gegen ›Die Ratten‹, z. B. die von S. Jacobsohn (s. u.), könnten zu der falschen Ansicht veranlassen, das Stück sei schludrig gemacht. Das Gegenteil ist der Fall, dafür sprechen die mehrfachen Umarbeitungen. Es ist keineswegs disparat, sondern sehr sorgfältig gearbeitet und trotz seiner Anstoß erregenden Gegensätzlichkeiten von Epischem und Dramatischem, von Komik und Tragik im Grunde ein Stück, das eine Einheit im Sinne des älteren Kunstbegriffs darstellt.

Hauptmann selbst hat sich dazu geäußert, indem er sich nach der nicht besonders erfolgreichen Uraufführung der ›Ratten‹ etwas über das mangelnde Auffassungsvermögen und das Unverständnis der Kritiker notierte und damit sozusagen eine Anweisung für den Zuschauer gab:

> „Vom Teil zur Einheit des Ganzen muß der Zuschauer schreiten und wieder vom Ganzen zu den Teilen den Weg hin und her, wie ihn der Dichter während des Schaffensprozesses immer wieder geschritten ist. So entsteht, so rundet sich das Werk, so muß das Werk vom Zuschauer neu geschaffen werden, wenn es zu einer Existenz in ihm gelangen soll . . .“ (CA XI, S. 806 f.)

Verhältnis der Teile zum Ganzen

Er empfiehlt damit ein Vorgehen nach dem hermeneutischen Zirkel des Verstehens und weist auf die Bedeutung der einzelnen Teile zum Verständnis des Ganzen hin. Sie sind durch Beziehung und Kontrast eng aufeinander bezogen. Situationen, Motive, Anspielungen, Vorausdeutungen ergeben ein dichtes Geflecht von Verweisen und bilden die eigentliche Struktur des Dramas.

Beziehungsgeflecht von Motiven und Situationen

Zur Konstruktion des Gesamtaufbaus kann die nach dem Freytagschen Dramenmodell beschreibbare John-Handlung, die ohnehin nur ein Teil des Ganzen darstellt, keineswegs ausreichen. Die Struktur ergibt sich eher aus dem Zusammenhang der verschiedenen Bauteile, die sorgsam aufeinander abgestimmt sind: Charaktere, Sprache, Handlung,

Ergänzung und Kontrast

Symbolik, alles steht zueinander in Beziehung, sich ergänzend oder im Kontrast zueinander.

Dabei lassen sich größere und kleinere Einheiten inhaltlich-thematischer oder formaler Art unterscheiden. Auf der formalen Ebene finden wir Komik und Tragik als Gegensätze, auf der inhaltlichen den „Gegensatz zweier Welten", wie Hauptmann die Grundidee des Stückes nannte: soziologisch Bürgertum und Unterschicht, räumlich das Oben und das Unten, die helle Wohnstube und den dunklen Dachboden, die (zumindest äußerlich) heile Familie Hassenreuter und die zerbrechende Familie John, Kunst und Leben, Fruchtbarkeit und Unfruchtbarkeit, die bürgerliche Ordnung und das Verbrechen, die Welt der Mütter und der (versagenden) Väter, der Aufstieg zu neuer Karriere und der Abstieg in den Tod.

Formale und inhaltliche Gegensätze als Bauprinzip

Das Geschehen spielt sich auf mehreren Ebenen ab. Die naturalistische Beschreibung der Mietskaserne und ihrer Bewohner bildet den Vordergrund. Auf der Symbolebene wird diese Wirklichkeit als brüchig und morsch analysiert: das zentrale Symbol des Dramas, die Ratten, deutet auf Verkommenheit und Verwahrlosung. Um das Rattensymbol gruppieren sich eine große Anzahl von Wörtern und Begriffen, die ihm korrespondieren und sich dem gleichen semantischen Umfeld zuordnen lassen. Hess-Lüttich nennt dazu einige -zig Beispiele wie Ungeziefer, Schmutz, Dreck, Abgrund, Sumpf, Staub, Motten, unterminieren, morsch usw. (S. 248 f.)

Deutung der naturalistisch beschriebenen Wirklichkeit

Deutet dies auf Verfall, so das häufig auftauchende Gespenster-Motiv auf das Unwirkliche hinter der Wirklichkeit, das nur von einigen, von Frau John und ihrem Mann, nicht aber von Hassenreuter wahrgenommen wird. Der biedere, auf das Tatsächliche ausgerichtete Handwerker John merkt plötzlich, wie ihm die Wirklichkeit immer mehr entgleitet und faßt diese Erfahrung in das Bild des morschen und vom Zusammensturz bedrohten Hauses. Auch der mehrfach zitierte Kavallerist Sorgenfrei und die mit ihm gegebenen Konnotationen weisen in die gleiche Richtung. Nur Hassenreuter bringt dafür keinerlei Gespür auf.

Das Dämonische hinter der Wirklichkeit

Auf einer weiteren Ebene, die Hauptmann allerdings in der Endfassung des Dramas zurückgenommen

hat, erscheint hinter dem Realen und seinem un-
wirklichen Hintergrund das Mythische, „hinter den
zeitlich und räumlich genau zu fixierenden Ereignissen [wird] die a-historische Kontur eines mythischen Bildes sichtbar" (Post, S. 365), Personen und
Geschehnisse werden als archetypisch verstanden:
Frau John als Typus, als Urbild der Mutter. Die Va-
tergestalten versagen allesamt, sei es nun Hassenreuter, Pastor Spitta oder John, jeder auf seine spezifische Weise. Die Tragik des Stücks liegt eigentlich
darin, daß in der untergehenden Väterwelt auch die
Mutter, für Hauptmann „die lebendige Mitte
menschlichen Daseins, menschlicher Gemeinschaft" (Post, ebd.) zum Scheitern verurteilt ist. Ihre
Tragödie ist ein verhängnisvolles Schicksal, dem sie
nicht entkommt und das Entsetzen beim Zuschauer
auslöst. Diese Auffassung hängt sicher mit Hauptmanns 1907 unternommener Griechenlandreise und
seiner Bemühung um das Tragische zusammen.
Anspielungen auf diese mythische Ebene hat Hauptmann in der Schlußfassung weitgehend wieder ge-
tilgt, Reste davon sind die Erwähnung der Gorgo,
der Medusen und Erinnyen im zitierten Schiller-
text.

Naturalismus
als literarischer Zeitstil

Zeitliche
Einordnung

Der Naturalismus als Zeitstil hat nur kurze Zeit
bestanden, in Deutschland etwa von 1880 bis zur
Mitte der 90er Jahre, zu deren Beginn schon die Ge-
genströmungen beispielsweise in Gestalt der Werke
von Hugo von Hofmannsthal und Stefan George
auftraten. In dem Nebeneinander der verschiedenen
Stile bis zum I. Weltkrieg gab es dann noch etliche
naturalistische Werke als Nachzügler, als eines der
letzten, das freilich kein Zeugnis des reinen Naturalismus ist, sondern dessen Stärken mit symbolisti-
schen Stilzügen verbindet, Hauptmanns Tragikomödie ›Die Ratten‹.

Bruch mit der
literarischen
Tradition

Gerhart Hauptmann (1862–1946) erlebte seinen
Durchbruch als Dichter mit dem Naturalismus, als
dessen dramatischer Hauptvertreter er zu Recht
gilt. Diese neue Richtung verstand sich als literarische Revolution, weil sie mit der literarischen Tradition brechen wollte und sich mit neuen Darstel-
lungstechniken neuen Themen und Stoffen zu-
wandte. Zum ersten Mal sollte die Wirklichkeit, wie
sie ist, dargestellt werden, und zwar durch genaue
Nachahmung mit Hilfe der Sprache. So war der
Naturalismus im Grunde eine Verschärfung und
Fortsetzung des Realismus, jedoch ohne dessen Ten-
denzen zur Verklärung und zur Deutung der Wirklichkeit durch den Dichter.

Geistige
Grundlagen:
Wissenschaft,
Positivismus

Der Naturalismus wollte ganz objektiv sein, er
wollte nur die naturgetreue und wissenschaftlich
exakte Abbildung der vorhandenen Welt, und zwar
unter Einbeziehung der neuesten naturwissenschaftlichen Erkenntnisse. Dabei sollte die Subjek-
tivität und Individualität des Dichters ganz ausge-
schaltet werden. Seine Prinzipien sind die des Positivismus: Festhalten am Gegebenen, Wendung zum
Diesseits, Ablehnung des Metaphysischen, Überzeu-
gung von der Erklärbarkeit der Welt durch zugrunde
liegende Gesetze. Diese grundsätzliche Haltung hat

Auswirkungen auf die Auswahl der Stoffe, auf den Stil der Darstellung und auf die Sicht des Menschen überhaupt.

Die thematische Orientierung erfolgt an der Gegenwart. Durch die Auswirkungen der industriellen Revolution hat sich neben den bekannten drei Ständen ein vierter gerade herausgebildet. Die Autoren des Naturalismus beobachten soziale Zustände, verwenden oft Tatsachenmaterial und richten ihren Blick auf neue oder bisher vernachlässigte Objekte und Themen: die Großstadt, die sozialen Unterschichten und Außenseiter, die Landbevölkerung, die Fabrikarbeiter, die Dirnen. Lebensumstände und die soziale Not der Unterdrückten werden zum bevorzugten Thema der Literatur, wobei die Autoren oft entgegen der Theorie soziales Mitgefühl und soziale Anklage artikulierten. Zu dem angestrebten Bruch mit der Tradition gehört auch, daß bisher Tabuisiertes, die Darstellung der Triebe, das Häßliche und ‚Niedere‘, besonders stark betont wird.

Orientierung an der Gegenwart: neue Stoffe und Themen

Darstellung des Häßlichen

Genaue Nachahmung der Natur gilt als höchstes Prinzip der Kunst. Arno Holz hat dafür, getreu der naturwissenschaftlichen Ausrichtung der neuen Kunst, die bekannte Formel: „Kunst = Natur – X" aufgestellt, die in der ausführlichen Fassung besagt:

> „Die Kunst hat die Tendenz, wieder die Natur zu sein. Sie wird sie nach Maßgabe der je(d)weiligen Reproduktionsbedingungen und deren Handhabung." (Die Kunst. Ihr Wesen und ihre Gesetze, 1891)

Kunst als perfekt nachgemachte Natur

Mit dem X ist der immer noch vorhandene Unterschied zur Natur gemeint, der wegen der Unvollkommenheit der Mittel bestehen bleibt, die der Künstler zur Wiedergabe der Wirklichkeit benutzt. Der Künstler soll den Faktor X möglichst klein halten.

Beim Schriftsteller ist die Sprache das Mittel, durch das die Reproduktion geleistet werden muß. Die Problematik dieses Ansatzes ist offensichtlich: weder ist die Kunst identisch mit der Natur, noch ist diese mittels der Sprache, eines Systems von Zeichen oder Symbolen, perfekt nachzuahmen. Außerdem stellt sich die Frage, was denn da nachgeahmt

Kritik des Ansatzes

Wie wird dargestellt, und was?

werden solle und was „die Natur" sei: die Erscheinung, die Oberfläche, das Sichtbare?

Einige Versuche des ,konsequenten Naturalismus', wie sie beispielsweise von Holz und Schlaf in ›Papa Hamlet‹ (1887/88) angestellt wurden, weisen außerdem auf technische Probleme hin. Der sogenannte Sekundenstil bringt den zeitlichen Ablauf eines dargestellten Vorgangs mit der für die Darstellung gebrauchten Zeit zur Deckung, d. h. alle Handlungen werden extrem verlangsamt. Das mag als punktuell angewendetes Kunstmittel sinnvoll sein, als generelles Prinzip taugt es nicht und muß den Leser langweilen. Die naturalistische Tendenz, eher Milieu als Handlung zu schildern, verdankt sich aber diesem Darstellungsprinzip.

Die Probleme an einem Beispiel

Obgleich Arno Holz mit seinem „Kunstgesetz" die neue literarische Richtung nahezu ad absurdum führte, lagen in diesem Ansatz doch die weiterführenden Möglichkeiten, besonders bei der Behandlung der Sprache. Die genaue Beobachtung von Mensch, Natur und Welt und der Versuch sie zu gestalten, führt zu einer Verfeinerung der technischen Mittel und schafft neue sprachliche Ausdrucksmöglichkeiten in allen Gattungen, vor allem in der Prosa und im Drama. Entscheidend wird die Schaffung einer neuen Dramensprache, die von der Vers- und Schriftsprache ganz weggeht und an die ,natürliche' Sprechweise von Personen im täglichen Leben anknüpft. Es kommt dabei nicht nur auf den Inhalt des Gesagten an, sondern auch auf das ,Gestische': Nicht nur *was*, sondern auch *wie* etwas gesagt wird, charakterisiert Person und Situation.

Verfeinerung der sprachlichen Mittel

Neue Dramensprache

Was die Durchsetzung des Naturalismus betrifft, so wird das Drama zur wichtigsten und in der Öffentlichkeit präsentesten Gattung, nicht zuletzt deswegen, weil es in der 1889 gegründeten ›Freien Bühne‹ einen eigenen Präsentationsort und mit Hauptmann einen großen Autor besaß. Hier zeigt sich auch am deutlichsten das neue Bild, das der Naturalismus vom Menschen entwirft: Er ist nicht wie beispielsweise in der Klassik ein frei handelndes, sich selbst bestimmendes Individuum, sondern das Produkt von Gesetzen, Einflüssen, Festlegungen, vornehmlich von Vererbung und Milieu.

Stellenwert des Dramas

Das naturalistische Menschenbild

Als neue Gattung bildet sich das soziale Drama heraus, das vornehmlich die Abhängigkeit des Menschen von seiner Umwelt, das Ausgeliefertsein an übergeordnete psychische und soziale Verhältnisse zum Thema hat und sowohl in bürgerlichem als auch in proletarischem Milieu spielt. Es zeigt meist gebrochene Figuren unter dem Einfluß des Milieus, das sehr genau, auch durch episch ausführliche Regieanweisungen, gezeichnet wird. Die Charaktere haben Vorrang vor der konkreten Handlung. Sie werden um so eindringlicher gezeichnet, vor allem durch genaue Wiedergabe von Dialekten und individuellen sprachlichen Eigentümlichkeiten. Aus der dramatischen Situation erwachsene sprachliche Fehler, unvollendete Sätze, Stottern, Stammeln usw. werden als Ausdruck natürlichen Sprechens gewertet. Die Figuren werden psychologisiert, die bevorzugte Technik ist die des analytischen Dramas: Ein zurückliegender Vorgang wird aufgedeckt, seine Enthüllung führt zur Katastrophe.

Milieu-bestimmtheit

Vorrang der Charaktere, Gestaltung durch sprachliche Mittel

Hauptmann war nie konsequenter Naturalist im Sinne der Theorie, denn er wollte niemals wie Holz die absolute Naturnachahmung, sondern eher – und das ist eine ‚klassische‘ Position – die Darstellung des Wesens der Dinge, wobei er sich freilich der Nachbildung von äußeren Erscheinungen bediente (vgl. ›Gedanken über das Bemalen der Statuen‹, 1887). Seine spätere ›Berliner Tragikomödie‹ ›Die Ratten‹, die 1911 uraufgeführt wurde, ist ein naturalistischer Nachzügler und zeigt mit naturalistischen und anderen Mitteln ein Bild der gesamten Gesellschaft vor dem I. Weltkrieg: verschiedene soziale Schichten, Proletarier, Bürger und Großbürger in einem Berliner Mietshaus. Ihre Schicksale sind miteinander verflochten und aufeinander bezogen.

Hauptmann und der Naturalismus

Hauptmanns ›Die Ratten‹

Das Stück weist eine gattungsmäßige und stilistische Vielfalt auf, es hat komische und tragische Züge, doch im Gegensatz zu der früher im Drama gewohnten Zuordnung findet sich die Komik bei der höheren und die Tragik bei der niederen Schicht. Auch in der Präsentation der Realität stellt das Drama eine Mischform dar. Es enthält in seiner Wirklichkeitsdarstellung und Sprachbehandlung sehr starke naturalistische Züge, ist aber zugleich

Stilmischung

Naturalismus und Symbolik

durchzogen von Symbolen, Verweisen und Beziehungen. Die titelgebenden Ratten unterminieren
das Haus, in dem die Handlung spielt; sie sind zugleich Symbol für die auf allen Ebenen morsche und
zerfallene Gesellschaft der Vorkriegszeit.

Klassisches
und naturalistisches Drama

Der Hintergrund der dramentheoretischen Diskussion in Hauptmanns ›Die Ratten‹ ist das klassische Drama, die „Schillerisch-Goethisch-Weimarische Schule der Unnatur" (S. 24), wie Erich Spitta, der Verfechter eines naturalistischen Dramas, es polemisch nennt. Es dient als Folie, vor der Spitta seine neuen Auffassungen entfaltet, und stellt in vielen Punkten tatsächlich einen Gegensatz zur naturalistischen Dramentheorie dar. Worin unterscheiden sich die beiden Dramentypen? **Klassisches Drama als Folie**

Das klassische Drama will vor allem keine bloße Nachahmung der Natur sein, sondern ein stark stilisiertes Kunstprodukt, das Ideen und Probleme ausdrückt. Realistische Darstellung kann von ihm nicht verlangt werden, da alles an ihm, Bühnenbild, Requisite, Handlung, nur „ein Symbol des Wirklichen" sein soll, denn die Kunst soll „das Wirkliche ganz verlassen und doch aufs genaueste mit der Natur übereinstimmen" (Schiller, Vorrede zu ›Die Braut von Messina‹). Schiller schlägt sogar vor, den antiken Chor wieder einzuführen, um **Das klassische Drama ist ein Symbol des Wirklichen**

> „dem Naturalism [sic! gemeint ist natürlich die Darstellungsart] in der Kunst offen und ehrlich den Krieg zu erklären".

Der Chor sollte

> „eine lebendige Mauer sein, die die Tragödie um sich herumzieht, um sich von der wirklichen Welt rein abzuschließen und sich ihren idealen Boden, ihre poetische Freiheit zu bewahren" (ebd.).

Diesem Zweck dient auch das Hauptmedium des klassischen Dramas, die metrisch gebundene Sprache im hohen Stil. Sie ist sentenzhaft und zielt wie alles andere auch auf das Allgemeingültige, Typische. Dialekt oder Provinzialismen sind streng un- **Sentenzhafte Verssprache** tersagt, was Goethe ausdrücklich in seinen ›Regeln für Schauspieler‹ in den Paragraphen 1 und 2 feststellt.

Spitta wählt bei seiner Forderung nach einer neuen Kunst diese ›Regeln‹ geschickt als Bezugspunkt für seine Angriffe auf das ‚alte‘ Drama. Sie können in der Tat ganz gut die sozusagen materielle Seite des klassischen Dramas erläutern. Goethe gibt genaue Anweisungen für Stellung, Körperhaltung, Bewegung, Gebärdenspiel usw. des Schauspielers, außerdem fordert er eine gute, präzise Aussprache und unterscheidet zwischen Rezitation und Deklamation. All dies hat den Zweck, die Bühnenkunst von der Realität, der „platte(n) Wirklichkeit" (§ 91) abzurücken. Der Schauspieler solle immer bedenken,

> „daß er nicht allein die Natur nachahmen, sondern sie auch idealisch vorstellen solle, und er also in seiner Darstellung das Wahre mit dem Schönen zu vereinigen habe" (§ 35).

Die Personen sind von hohem Stand, ihre Sprache wird nicht differenziert oder individualisiert; sie benutzen gleichermaßen den hohen Stil und können ihre Probleme formulieren. Dargestellt wird eine Idee, die der frei entscheidende Held, der seinen Grundsätzen folgt, verwirklicht. Der Gehalt des klassischen Dramas sind sittliche Leitideen und Werte wie Humanität, Bändigung der Gegensätze, Ordnung, Mäßigung, harmonischer Einklang mit Gesetzen der Natur und der Gemeinschaft.

Für die Form gelten die Prinzipien Schönheit, Klarheit, Ausgewogenheit, Harmonie. Die Handlung ist in der Regel fünfaktig, in Szenen eingeteilt und geschlossen, d. h. sie folgt dem Schema Exposition, steigende Handlung, Höhe- oder Wendepunkt, retardierendes Moment und Katastrophe. Sie ist zielgerichtet, ein Element folgt aus dem anderen und baut auf dem vorhergehenden auf. Gustav Freytag hat seine Dramentheorie am Beispiel des klassischen Dramas erstellt.

Daß Spitta Goethes ›Regeln für Schauspieler‹ als Verkörperung des klassischen Dramas ansieht und als Zielscheibe benutzt, ist vor allem deshalb durchschlagend, weil sie eher klassizistisch sind, d. h. sie

Goethes ›Regeln für Schauspieler‹

Abrücken von der Realität

Ziel: Wahrheit und Schönheit

Sprachmächtige Personen von Stand

Ideengehalt

‚Klassische‘ Form

betonen das Regelhafte sehr stark und geben sich schulmäßig. Unter „bösen Gewohnheiten", die dem Klassischen zuwiderlaufen und unbedingt vermieden werden müssen, nennt Goethe das Rücken eines Stuhls, den der Schauspieler, zwischen den Beinen hindurchgreifend, nach vorne ziehe; auch dürfe der Schauspieler sich nicht schneuzen oder gar spukken, denn:

> „Es ist schrecklich, innerhalb eines Kunstprodukts an diese Natürlichkeiten erinnert zu werden." (§ 74)

Die von Hauptmann bei der Vorführung von Hassenreuters Unterricht ironisierte Einteilung der Bühne in schachbrettartige Felder soll sich der Schauspieler nach Goethes Absicht nur im Geist vorstellen, damit er gewiß sein kann,

> „daß er bei leidenschaftlichen Stellen nicht kunstlos hin und wider stürmt" (§ 87).

Was dagegen nicht vorkommt – auch nicht zur Sache passen würde –, sind die angeblich geforderten menschenfresserartigen Physiognomien, die die Schauspieler zeigen sollen, um an das hohe Trauerspiel zu erinnern. Hier handelt es sich um einen Irrtum Hauptmanns.

Was die Wirkung des klassischen Dramas auf den Zuschauer betrifft, so soll er nach Schiller in Freiheit gesetzt werden. Das geschieht, indem er sich so auf die Schönheit der Form konzentriert, daß er von dem Stoff nicht gefangen genommen wird, sondern ihm Reflexion darüber ermöglicht wird. Dagegen soll er im naturalistischen Drama eher von der Darstellung so gepackt werden, daß er Mitleid empfindet; auch kann es unter Umständen als soziale Anklage verstanden werden.

Gegenüberstellung
klassisches/naturalistisches Drama

Klassisches Drama	Naturalistisches Drama
stilisiertes Kunstprodukt	illusionistische Wirklich-keitskopie
symbolisch, Vermeidung des Natürlichen	natürlich, wahrscheinlich
typisiert, allgemeingültig keine „platte Wirklichkeit"	konkret, individuell, genaue Milieuzeichnung
Darstellung einer Idee Gehalt: Humanität, sittliche Werte	Darstellung des Lebens das Alltägliche, der Lebenstrieb
Personen von hohem Rang	alltägliche, durchschnittliche Menschen, oft aus unteren Schichten der Gesellschaft
der frei entscheidende Held setzt sich über Schranken hinweg	der determinierte Mensch ist Spielball, Opfer der Verhältnisse
Sprache: hoher Stil, Vers, Sentenz, zeitenthoben, nicht individualisiert; alle Personen verfügen über das Hauptmedium Wort, sind sprachmächtig	Dialekt, Verweis auf Individualität, soziale Zugehörigkeit, Situation; Ergänzung durch mimisches Spiel, Schweigen, Stammeln, Stottern
geschlossene Form: Elemente aufeinander aufbauend, Handlung zielgerichtet mit festem Endpunkt	Handlung ist nur Mittel, Charaktere und Milieu sind wichtiger; situationsmalende Gestaltung; Form oft analytisch, gelegentl. offener Schluß
Ziel: Darstellung des Schönen; Ermöglichung von Reflexion; Wirkung nur indirekt erzieherisch	soll unmittelbar packen, Mitleid erwecken; kann als soziale Anklage verstanden werden

Entstehung,
biographische Bezüge

Obgleich Hauptmann ›Die Ratten‹ in den Jahren 1909/10 schrieb, reicht die Entstehungsgeschichte des Dramas weit in seine naturalistische Frühzeit zurück. Erlebnisse und Projekte aus dieser Zeit sind in das Stück eingegangen. Man kann daran verfolgen, wie das Material des realen Lebens in einer Dichtung verarbeitet wird.

Die Gestalt Hassenreuters geht auf den ehemaligen Straßburger Theaterdirektor Alexander Heßler zurück, bei dem Hauptmann 1884/85 Schauspielunterricht nahm, und zwar in der ehemaligen Franzerkaserne in der Berliner Alexanderstraße. Schon 1887 notiert Hauptmann in einer Liste literarischer Projekte, wohl mit Bezug auf den Fundus des Theaterdirektors, das Thema „Heßlers Maskenverleihanstalt" (zit. nach Sprengel, 1984, S. 140).

Hassenreuters Vorbild

Ebenfalls 1887 begann Hauptmann eine (unvollendet gebliebene) Erzählung mit dem Titel ›Der Buchstabe tötet‹, in der ein Zimmermädchen die Herausgabe ihres unehelichen Kindes von einer Maurerfamilie fordert. Dabei legt sie das Pflegegeld auf den Tisch, wie ähnlich die Piperkarcka das von Frau John erhaltene Geld. (CA XI, S. 27–30) Der Titel, ein Paulus-Zitat (2. Kor. 3, 6: „Denn der Buchstabe tötet, der Geist aber macht lebendig") deutet darauf hin, daß Hauptmann das formale, gesetzliche Recht der leiblichen Mutter gegenüber der gefühlsmäßigen Bindung infrage stellen wollte.

Frühe Erzählung mit ähnlichen Motiven

Aus dem Jahre 1905 stammt das Dramenfragment ›Mutterschaft‹ (CA IX, S. 297–325). Es handelt von einer Ärztin, die verzweifelten Mädchen helfen will, indem sie ein Heim für uneheliche Mütter gründet. Sie scheitert an den Widerständen der Gesellschaft.

Ein weiterer Plan Hauptmanns bezog sich darauf, ein Berlin-Drama oder sogar eine Dramenreihe zu schreiben. Das Großstadtthema faszinierte ihn seit seiner Zeit im Vorort Erkner (1885–88), das „ungeheure Lebewesen und Sterbewesen Berlin" sei ihm dort „alpartig gegenwärtig" gewesen (zit. n. Mat. II. 3, S. 125). Zu den Vorstudien dafür gehören Notizen über proletarische Lebensläufe, das Berliner Krankenhaus Charité und seinen Totenkeller. In einem dramatischen Fragment von 1906, betitelt ›Neue Tragikomödie‹ (CA IX, S. 380–384) sind verschiedene Motive davon verarbeitet, auch gibt es darin eine mütterliche Gemüsefrau namens Fellgiebel, einen auf Abwege geratenen jungen Mann und eine Krankenschwester, deren viele Männerbekanntschaften eine mögliche Gefährdung andeuten.

Berlin-Thema: die dunkle Seite der Stadt

Den entscheidenden Anstoß zur Realisierung der ›Ratten‹ in bezug auf einen Handlungskern hat Hauptmann dann durch einen Zeitungsbericht im ›Berliner Lokalanzeiger‹ vom 13. 2. 1907 bekommen. (zit. bei Sprengel 1984, 1988). Es ging darin um eine Garderobiersfrau, die gegenüber ihrem Mann das uneheliche Kind eines Dienstmädchens als ihr eigenes ausgab. Als der amtlich ernannte Vormund des Kindes Nachforschungen anstellte, raubte die Frau ein etwa gleichaltriges Kind einer anderen Frau und übergab es dem Vormund als Kind des Dienstmädchens. Die Sache wurde schnell aufgeklärt und ging gut aus, die falsche Mutter wurde zu einer Woche Gefängnis verurteilt, die Eheleute durften aber das Kind des Dienstmädchens, um das die Frau so gekämpft hatte, behalten. Die Gleichheit der Kernfabel bei dem wirklichen Geschehnis und dem Drama ist deutlich, – bis eben auf den Schluß, den Hauptmann für Frau John tragisch gestaltet.

Im Prozeßbericht das Motiv des Kindertauschs

Bei der konkreten Arbeit entstanden mehrere Versionen, wie Skinner nachgewiesen hat, insgesamt neun verschiedene Fassungen mit unterschiedlichen Inhaltsdetails. Zunächst sollte Frau John wahnsinnig werden, erst ab der 5. Fassung ist ihr Tod vorgesehen. Erst in der 4. Fassung gibt es die Gestalt Brunos, ab der 6. Pastor Spitta und Quaquaro. Ein persönliches Erlebnis vom Mai 1910, der Tod seines fünften Sohnes im Alter von drei Tagen, führte dazu, daß Hauptmann den Säugling Adelbertchen als frühverstorbenen Sohn des Maurerehepaars einführte.

Veränderungen während des Arbeitsprozesses

Der ursprüngliche Titel sollte lauten: ›Der Storch beim Maskenverleiher‹; aufgeführt wurden dann ›Die Ratten‹ am 13. Januar 1911 am Lessingtheater Berlin, die Buchausgabe erschien im gleichen Jahr.

Rezeptions-
und Wirkungsgeschichte

Die Aufnahme des nach mehreren Umarbeitungen am 13. Januar 1911 im Lessing-Theater uraufgeführten Stücks war eher mäßig. Weder die Kritiker noch das Publikum reagierten enthusiastisch. Vorausgegangen waren Auseinandersetzungen mit Otto Brahm, dem Leiter des Lessing-Theaters, über den Premierentermin, den Hauptmann zu Beginn der Spielzeit 1910/11 wollte. (Vgl. Otto Brahm – Gerhart Hauptmann, Briefwechsel 1899–1912. Hrsg. v. Peter Sprengel. Gunter Narr, Tübingen 1985, S. 43 f.). Insgesamt gab es in der Spielzeit 1910/11 nur 32 Aufführungen des Stücks.

Wenige Vorstellungen

Die Kritiker, darunter Alfred Kerr, Siegfried Jacobsohn, Isodor Landau, Victor Auburtin, Berthold Viertel, Maximilian Harden, schrieben zum größten Teil mehr oder weniger harsche Verrisse. (Eine Auswahl bietet Mat. III.) Einige fanden, der Stoff sei eher für einen Roman als für ein Drama geeignet gewesen. Am freundlichsten war noch Kerr, der zu naturalistischen Zeiten Hauptmann hatte durchsetzen helfen. Er bemängelte, daß das Stück nicht fertig sei (wie oft bei Hauptmann) und daß es zuviel enthalte, fand aber in Einzelheiten auch Großartiges darin, z. B. in der Menschenzeichnung, „Züge von Hauptmanns Hand"; im ganzen: „Ein flaues und gewaltiges Stück. Von einem ungesammelten Meister." (Fetting, Bd. I, S. 412) Auburtin, der bekannte, das Stück nicht verstanden zu haben, machte Witze darüber (Es stände immer ein Kinderwagen auf der Bühne, manchmal sogar zwei, außerdem kämen drei Kinder darin vor, die alle Adalbert hießen, was sehr unpraktisch sei, man solle sie doch besser nach der Reihe des Alphabets Adalbert, Benno und Casimir nennen) und befand, von Hauptmann sei nichts mehr zu erwarten (ebd. S. 418).

Vorbehalte und Ablehnung durch die Kritik

Ein Wandel bahnte sich fünf Jahre später an, als Felix Hollaender ›Die Ratten‹ für die Berliner Volksbühne inszenierte. Siegfried Jacobsohn, der 1911 den Dialekt verfehlt, den Plan mangelhaft und das Stück „morsch in allen Gliedern", außerdem „dumm, zufällig, unorganisch, unverzahnt, schludrig, geistlos und witzlos" gefunden hatte (Die Schaubühne 7/1911, 1, S. 60 f.), bekannte 1916, er selbst sei bei der Uraufführung als Kritiker vor diesem Stück durchgefallen.

> „Man trete von dem Bild, dessen Striche einem in der Nähe schief und krumm und falsch erschienen, weit genug, sechs Jahre weit zurück – und diese zufällig, willkürlich, hingeschludert wirkenden Striche werden sich zu klaren, festen, schönen Linien zusammenfügen. Die richtige Distanz gibt das richtige Bild: Nicht bloß eines Stadthauses, sondern einer Stadt und ihrer Bevölkerung." (Die Schaubühne 12/1916, 2, S. 608)

Neubewertung nach einigen Jahren

Die Tendenz, das Stück mit größer werdender Distanz als besser anzusehen, hat sich seither verstärkt. Offensichtlich erkannte man zunehmend die Genauigkeit von Hauptmanns Zeichnung der sozialen und politischen Situation vor dem Kriege, deren Morschheit der inzwischen auf dem Höhepunkt befindliche Erste Weltkrieg zu beweisen schien. Durch neue Kunstentwicklungen aufgeschlossener geworden, stieß man sich auch nicht mehr an den epischen Zügen und den formalen Besonderheiten des Zusammenbringens von tragischer und komischer Handlung.

Mit steigender Distanz Wandel in der Einschätzung

Mit Jürgen Fehlings Inszenierung von 1922, ebenfalls an der Berliner Volksbühne, rückt das Stück ins Repertoire der deutschen Bühnen ein und gilt heutzutage als eines der besten, wenn nicht überhaupt als das beste Stück Hauptmanns, so jedenfalls Thomas Manns Urteil in ›Die Entstehung des Doktor Faustus‹ (1949). Hans Mayer hielt es 1967 für den vielleicht „wichtigsten Beitrag Gerhart Hauptmanns zum modernen Welttheater" (G. Hauptmann. Friedrich, Velber 1967, S. 68)

Durchbruch: „Vielleicht Hauptmanns bestes Stück"

Zunehmend wird auch als formale Modernität gewürdigt (die epischen Züge, die Mischung von Tragik und Komik, die ironische Behandlung), was zur Entstehungszeit als Fehler kritisiert wurde. Weiter-

Formale Modernität

hin tritt das früher nur von wenigen (z. B. von Kerr) gesehene Großstadtmotiv als entscheidendes Thema hervor.

Wichtige Inszenierungen in den letzten Jahren lieferten Hans Neuenfels in Frankfurt a. M. 1973/74, Dieter Reible in Bremen 1977, Rudolf Noelte an der Freien Volksbühne Berlin 1977/78 (auch in einer Fernsehfassung vorhanden), Klaus Piontek an den Kammerspielen Ostberlin 1978. Die Inszenierung von Neuenfels war insofern experimentell, als er die Schauspieler ihre (verschiedenen) Heimatdialekte sprechen und die Dialoge daraufhin umschreiben ließ (Hess-Lüttich, S. 218 ff.).

Neuere Inszenierungen

Interpretationsansätze

Brigitte Stuhlmacher:
[Frauenschicksale als soziale Anklage]

(1987)

Aus den Schicksalen der Frauen baut Hauptmann ein anderes Spektrum auf. In ihnen, die noch abhängiger und zerstörbarer sind, zeigt er die geradezu prädestinierten Opfer einer unmenschlichen Gesellschaftsverfassung. Die Kette dieser Schicksale – der Frau John, Piperkarcka, Sidonie Knobbe, Selma Knobbe, Spittas Schwester, Alice Rütterbusch, Walburga Hassenreuter – geht quer durch die Klassen, und da diese Frauen und Mädchen fast alle untergehen, sammelt sich hier ein massives Anklagepotential gegen die Gesellschaftsordnung. Die Anklage richtet sich auch direkt gegen die Verteidiger bürgerlicher Ordnung im Stück, gegen den Theaterdirektor Hassenreuter, der ein Verehrer der neuen Reichsherrlichkeit und Bismarcks ist, und gegen den Pastor Spitta, der die reaktionärste und dogmatischste Variante orthodoxen Christentums und moralisch drapierten Machtanspruchs vertritt. Der hat seine Tochter in den Tod getrieben, er verstößt den Sohn, er verachtet die Theaterleute als Gesindel, und Berlin ist für ihn die klassische Stätte des Verderbens, „das ist einfach Weltuntergang".

Von dieser äußersten Position reaktionär konservativer bürgerlicher Lebenshaltung muß man Hassenreuter und seine Familie allerdings entschieden absetzen. Hier werden eher liberale Positionen sichtbar und überhaupt schwankende. Es gibt ganz menschliche Reaktionen und viel Vernunft, daneben Kleinlichkeit und Heuchelei und Anpassung an Konventionen und dann vor allem die durch Hassenreuter brillant vertretene Mentalität des Schauspielers – Temperament, Spielfreude, Verwandlungskunststücke, Posen, Tiraden und verblüffende Wechsel. Hassenreuter selbst vertritt schon ein ganzes Spektrum von Haltungen. Er agiert als Charmeur und als Hausvater, als Schmierenkomödiant, als Gesellschaftsmensch, als Bildungsbürger, als Persönlichkeit mit Lebenserfahrung und als komische Figur. Mit diesem Charakter schafft sich Hauptmann ein lebendiges Zentrum seiner Figurenwelt und ein Muster für die vielfältige Fülle von Erscheinungen des sozialen Lebens.

Im Zentrum des Hauses aber steht Frau John. Ihre große und tragische Geschichte ist der prägende Gegenstand des Dramas, in ihrem Schicksal modelliert sich das Leben der Frauen dieser Zeit. Noch mehr als zeitbestimmend aber ist es raumbestimmt. Frau Johns Leben ist in das Haus gebannt. Sie ist eine durch dieses Milieu geprägte Figur und wird gleichsam mit ihm identisch. Die enge, luftlose, gedrückte und erniedrigte Lebensweise der Frau aus dem Volk, aus der arbeitenden Masse der Berliner Bevölkerung, bildet den Konzentrationspunkt für die Betrachtung des sozialen Systems der Gesellschaft, wie es sich in dem Berliner Mietshaus spiegelt, das in der ärmsten und verrufensten Gegend der sonst doch auch reichen und glänzenden Reichshauptstadt steht. [. . .]

Das ›Ratten‹-Haus bietet ein Bild des Chaos, den Beweis fehlender Integrierungskraft der Gesellschaft. Das in ihm ebenfalls magisch verdichtete Kräftepotential der ›Unteren‹ zerstört nicht nur den angemaßten äußeren Glanz der gesellschaftlichen Verhältnisse, sondern produziert mit Mord und Totschlag auch systemimmanent Formen der Barbarei. So ist das ›Ratten‹-Haus als Teil der Unterwelt zugleich auch Drohung. Seine Gespenster sind nicht nur die um ihr Leben betrogenen Opfer eines inhumanen Systems, sie sind auch geprägt von dieser Inhumanität, deformiert, zerstört und zerstörerisch.

(B. Stuhlmacher: Berliner Häuser in modernen Dramen. Exempel: H. Sudermann und G. Hauptmann. In: Literarisches Leben in Berlin 1871–1933. Hrsg. v. Peter Wruck. Bd. I, S. 204 ff., hier: S. 238 ff. u. 240. Akademie-Verlag, Berlin (Ost) 1987.

Peter Sprengel: [Über den Naturalismus hinaus – Gespenstisches und Mythologisches]

(1988)
Der Autor der *Ratten* ist weit von der poetologischen Selbstgewißheit entfernt, die den jungen Spitta auszeichnet. Das Drama, das sich in stofflicher und sprachlicher Hinsicht so deutlich als naturalistisches zu erkennen gibt und sich in Spittas Reden ausdrücklich zum Naturalismus zu bekennen scheint, zeigt bei näherer Betrachtung Züge, die zumindest eine Krise des Naturalismus oder Übergänge zu anderen ästhetischen Positionen indizieren.
Ein Beispiel dafür sind die balladesken Elemente, die in Brunos Bericht von der Mordnacht anklingen. Glockenläuten, Mondschein, Hundegebell und Gewitter verbinden sich hier zu einer an Lyrisches gemahnenden Bildkomposition beträchtlicher Dichte. Daß es die Kirchenglocken des Sonntagmorgens sind, die Brunos Erzählung – eine Art Beichte – auslösen, hat natürlich einen symbolischen Nebensinn. Schon im Märchendrama *Die versunkene Glocke* läßt Hauptmann den Glockenklang für die Stimme des Gewissens eintreten. Auch die Gewitterschwüle, mit der derselbe Akt einsetzt, ist von symbolischer Signifikanz: es kündigt sich die Krise der Handlung oder, wie man sagt, ein ›reinigendes Gewitter‹ an. Die Parallelisierung seelischer und meteorologischer Vorgänge, die Engführung von Held und Wetter, ist eine uralte literarische Technik, die freilich auch in unbestritten naturalistischen Dramen (Schlafs *Meister Oelze*, Hauptmanns *Rose Bernd*) wirkungsvolle Verwendung fand.
Einen weiteren Schritt über den Naturalismus hinaus stellt sicher die Art und Weise dar, in der Hauptmann das Gespensterhafte der *Ratten*-Welt herausarbeitet. Von Brunos ›Schuberle buberle, ick bin'n Jespenst‹ im 1. Akt bis zu Spittas ›Du siehst ja Gespenster, Walburga‹ im 5. Akt durchzieht das Stichwort „Gespenster" das gesamte Drama. Sein eigentlicher Ursprung ist natürlich die Atmosphäre des Kostümbodens mit seiner flackernden Beleuchtung; doch greift die Infragestellung der Wirklichkeit alsbald auch auf die John-Sphäre über. Freilich ist Hauptmann (hier noch) soweit Realist, daß er am metaphorischen Charakter dieses Gespensterwesens keinen Zweifel läßt [. . .]

86

Läßt sich mit Blick auf die Gespenster-Symbolik also schon eine Vorwegnahme oder Vorbereitung von Motiven und Techniken des Hauptmannschen Spätwerks in den *Ratten* beobachten, so gilt dies erst recht für die Einbeziehung mythologischer Elemente. Sie geschieht hier allerdings noch sehr behutsam, gleichsam spielerisch. Wenn etwa Hassenreuter auf der angemessenen pathetischen Deklamation eines Schiller-Verses insistiert und dabei die Wendung „der Eid, der Erinnyen Sohn" mehrfach wiederholt, bleibt es dem Leser und Zuschauer freigestellt, hier nur eine Fortführung der Schiller-Parodie oder eine aktuelle Bezüglichkeit der mythischen Vorstellung vom Rachegott zu erkennen (ungeachtet und eingedenk der Tatsache, daß ihre Schillersche Formulierung zur gleichen Zeit der Lächerlichkeit preisgegeben wird). Gleiches gilt für das Schillersche „Haupt der Medusen"; ursprünglich sollte Hassenreuter das Mythos-Zitat, dem eine Schlüsselstellung innerhalb der Tragödientheorie Hauptmanns zukommt, am Schluß aufgreifen und auf Frau John beziehen: „Spitta, wir haben das Haupt der Gorgo gesehen! Wer hätte der John so etwas zugetraut!" Hat sich der Blick des Rezipienten erst einmal für mythologische Anspielungen geschärft, so wird ihm Quaquaros Benennung als „Zerberus" – und zwar nicht durch den Theaterdirektor, sondern durch den Maurerpolier! – kaum entgehen: sie fügt sich vollkommen in das Bild der Mietskasernen-Welt als „Unterwelt" (im alltagssprachlichen und im religiösen Sinn) oder als „Inferno" ein.

(P. Sprengel: Hauptmann, ›Die Ratten‹. Vom Gegensatz der Welten in einer Mietskaserne. S. 276 ff. Literaturverweise gestrichen)

Gerhard Kaiser:
[Naturalistische, antike und klassische Tragödie]

(1968)
Für Schiller ist „das Leben [. . .] der Güter höchstes nicht", bei Hauptmann ist es letzte Instanz und trägt den Widerspruch, der bei Schiller zwischen Idee und Leben geöffnet ist, in sich selbst. Spitta wendet sich gegen den Schillerschen Bombast, und er meint damit ein Pathos der gedanklichen und emotionalen Explikation, das seine letzte Begründung und Rechtfertigung in der Fähigkeit der Person hat, Schicksal und Tod im Sprung in die Idee zu besiegen. Die moderne Tragödienheldin, Frau John, fällt im Verlauf des Stückes immer tiefer in eine Starre und Bewußtlosigkeit, in der die Person von der Erfahrung des Antagonismus der Welt überwältigt wird [. . .]
Die Tragödie der Frau John vollzieht sich im Kontrast zum Drama des Idealismus und zugleich als schöpferische Rezeption eines Urbildes: der griechischen Tragödie, von der Hauptmann bei seiner Griechenlandreise 1907 eine eigene, anti-idealistische Anschauung gewonnen hat. „Es kann nicht geleugnet werden", schreibt Hauptmann 1908 im ›Griechischen Frühling‹, drei Jahre vor den ›Ratten‹, „Tragödie heißt: Feindschaft, Verfolgung, Haß und Liebe als Lebenswut! Tragödie heißt: Angst, Not, Gefahr, Pein, Qual, Marter, heißt Tücke, Verbrechen, Niedertracht, heißt Mord, Blutgier, Blutschande, Schlächterei [. . .]".

Nichts anderes als diesen entsetzlichen Kampf des Lebens mit sich selbst stellt die John-Tragödie vor Augen. Das soziale Milieu ist nicht mehr, wie im Naturalismus, Ausdruck einer besonderen historischen Verfassung der Gesellschaft, sondern ein Bild des Lebens schlechthin als eines Kampfes aller gegen alle . . . Mit dem Blick auf das Verhältnis zur Antike gewinnt auch die Hassenreuter-Handlung der ›Ratten‹ einen überraschenden Aspekt. Hauptmann knüpft, wie schon deutlich wurde, in den ›Ratten‹ speziell in den Chor in der ›Braut von Messina‹ an, den Schiller in diesem Drama erneuert, und die Hassenreuter-Episoden selbst sind eine sinnreiche Erneuerung und Verwandlung des antiken Tragödien-Chors. Der Chor als idealisierter Zuschauer – genau das stellt sich im Theaterdirektor Hassenreuter mit seinem Kreis dar. Allerdings – und so wendet sich die Tragödie zur Tragikomödie – verhält sich dieser Chor nicht tragödiengemäß. [. . .] Während die John in den Tod geht, bereitet sich bei Hassenreuters ein Happy-End vor, und damit ist nicht etwa lediglich ein Nebeneinander komischer und tragischer Elemente gegeben, sondern ein Gegeneinander. Es ist nicht das unbändige Leben, das hier siegt, sondern das bequeme Arrangement, das am Tod vorbeisieht und ihn damit um seine tragische Würde bringt. Der Chor in der antiken Tragödie und auch in der ›Braut von Messina‹ wird von der tragischen Erschütterung ergriffen und verwandelt, so wie sich die Welt in der tragischen Krise reinigt und verwandelt. Der Chor der John-Handlung hingegen wird des Blickes in den tragischen Abgrund gewürdigt, ohne daß er die große Verwandlung erführe, die aus der Erkennung der tragischen Lebensantinomien fließt, und damit wiederholt sich in den ›Ratten‹ auf sehr viel kunstvollere Weise, in der Engführung zweier Handlungen, der gleiche tragikomische Effekt, der für die Fielitzen im ›Roten Hahn‹ konstatiert wurde: der Lebenstrieb, der in der Tragödie klug wird und erlischt, bleibt in der Tragikomödie dumm und dumpf und möchte weitermachen wie bisher.

(G. Kaiser: „Die Tragikomödie G. Hauptmanns", in: Festschrift für Klaus Ziegler, hg. v. Eckehard Catholy u. Winfried Hellmann, Tübingen 1968, S. 279 f., 283, 284 f. Literaturnachweise gestrichen)

Worterklärungen (alphabetisch)

Bassermannsche Gestalten
    nach Albert Bassermann (1857–1952), bekannter Schauspieler des
    naturalistischen Theaters in Berlin, hier im Sinne von ‚merkwürdig‘,
    ‚unheimlich‘ gebraucht
Bleidächer
    Gefängnis von Venedig
Bullenwinkel
    Sackgasse, übles Viertel
Chignons
    weibl. Haartracht, Haarknoten im Nacken
Engelmachersche
    Frau, die Kinder abtreibt
Kohlhaas von Kohlhaasenbrück
    hist. Vorbild für Kleists Novelle ›Michael Kohlhaas‹
Kohlmarcht (es is K.)
    kein Geld haben
Lampen
    Warnruf in der Gaunersprache
Lichtfaßsäule
    Verballhornung von Litfaßsäule
Molum
    Rausch, berauscht
Pappenheimer
    nach den Pappenheimschen Kürassieren in Schillers ›Wallenstein‹;
    das Zitat „Ich kenne meine P." ist ursprünglich lobend gemeint,
    später wird es eher kritisch verwendet.
Pillenkrajerei
    nicht nachgewiesen; wahrscheinlich eine Ableitung von ‚Pillen-
    trägerin‘: eine Dirne, die eine Schwangerschaft vortäuscht (Bell-
    mann)
plattmachen
    (sich) hinlegen, schlafen
Plattmullje
    Brieftasche
Pomade
    gleichgültig
Potsdamer
    dummer Mensch, Provinzler

Preußisch Kurant
  in Preußen umlaufendes Geld
Quinte
  Diebstahl
Schneide(r)ring
  Messer
Schokoladenkasten
  Gefängnis
Schublade
  Wirtshaus, auch weibl. Geschlechtsteil (Bellmann)
Tülle
  Mädchen, Frau
Verkümmler
  Hehler
verschütt gehen
  ins Gefängnis kommen.

Literaturhinweise

a) Texte und Dokumente

Gerhart Hauptmann: Sämtliche Werke in 11 Bänden. Hrsg. von Hans-Egon Haas, fortgeführt von Martin Machatzke und Wolfgang Bungies. Ullstein, Berlin/Frankfurt a. M./Wien 1962–1974. (Centenarausgabe, zitiert CA)

Gerhart Hauptmann: Die Kunst des Dramas. Über Schauspiel und Theater. Zusammengestellt von Martin Machatzke. Ullstein, Berlin/Frankfurt a. M./Wien 1963.

Gerhart Hauptmann: Notiz-Kalender 1889–1891. Hrsg. von Martin Machatzke. Propyläen, Frankfurt a. M./Berlin/Wien 1982.

Gerhart Hauptmann: Tagebuch 1892–1894. Hrsg. von Martin Machatzke. Propyläen, Frankfurt a. M./Berlin/Wien 1985.

Fetting, Hugo (Hrsg.): Von der Freien Bühne zum Politischen Theater. Drama und Theater im Spiegel der Kritik. Bd. 1: 1889–1918. Reclam, Leipzig 1987.

b) Sekundärliteratur

Bellmann, Werner: Rinnsteinsprache. Anmerkungen zu Hauptmanns ›Die Ratten‹. In: Wirkendes Wort, 1987, H. 5, S. 265–268.

Berger, Paul: Gerhart Hauptmanns ›Ratten‹. (Interpretation eines Dramas). Verlag Hans Schellenberg, Winterthur 1961.

Guthke, Karl S.: Gerhart Hauptmann und die Kunstform der Tragikomödie. In: Germanisch-Romanische Monatsschrift 38/1957, S. 349–369.

Hess-Lüttich, Ernest W. B.: Soziale Interaktion und literarischer Dialog: II. Zeichen und Schichten in Drama und Theater: Gerhart Hauptmanns ›Ratten‹. Erich Schmidt, Berlin 1985.

Kaiser, Gerhard: Die Tragikomödien Gerhart Hauptmanns (1968). In: Schrimpf (Hrsg.), S. 360–384.

Mennemeier, Norbert: Literatursoziologische Bemerkungen zu G. Hauptmanns ›Die Ratten‹, G. Kaisers ›Von morgens bis mitternachts‹, H. v. Hofmannsthals ›Das Salzburger Große Welttheater‹, S. Becketts ›Warten auf Godot‹. In: Der Deutschunterricht 23/1971, S. 70–85.

Skinner, Charles Bronson: The Texts of Hauptmann's ›Ratten‹. In: Modern Philology 77/1979, S. 163–171.

Post, Klaus Dieter: Das Urbild der Mutter in Hauptmanns naturalistischem Frühwerk. In: Mythos und Mythologie in der Literatur des 19. Jahrhunderts. Hrsg. v. Helmut Koopmann. Vittorio Klostermann, Frankfurt a. M. 1979, S. 341–366.

Sprengel, Peter: Gerhart Hauptmann. Epoche – Werk – Wirkung. Beck, München 1984.

–: Gerhart Hauptmann: ›Die Ratten‹. Vom Gegensatz der Welten in einer Mietskaserne. In: Dramen des Naturalismus. Interpretationen. Reclam, Stuttgart 1988, S. 243–482.

Stuhlmacher, Brigitte: Vom Teil zur Einheit des Ganzen ... Gerhart Hauptmanns ›Ratten‹. In: Zeitschrift für Germanistik 4/1983, S. 5–24.

Schrimpf, Hans Joachim (Hrsg.): Gerhart Hauptmann. Wissenschaftl. Buchgesellschaft, Darmstadt 1976. (Wege der Forschung Bd. 207)

Wiese, Benno von: Wirklichkeit und Drama in Gerhart Hauptmanns Tragikomödie ›Die Ratten‹ (1962). In: Schrimpf (Hrsg.), S. 301–318.

Ziesche, Rudolf: Mutter John und ihre Kinder: Zur Vor- und Textgeschichte der ›Ratten‹. In: Hauptmann-Forschung. Neue Beiträge. Hrsg. v. Peter Sprengel und Philip Mellen. Peter Lang, Frankfurt a. M./Bern/New York 1986, S. 225–248.

Hinweise auf Film- und Fernsehfassungen

Hauptmanns ›Die Ratten‹ sind bisher zweimal verfilmt worden:

1921: Ly-Film, Uraufführung 30. 7. 1921
Regie: Hans Kobe
Darsteller: Lucie Höflich, Eugen Klöpfer, Emil Jannings u. a.

1955: CCC-Film, Uraufführung: 6. 7. 1955
Regie: Robert Siodmak
Darsteller: Maria Schell, Curd Jürgens, Heidemarie Hatheyer, Gustav
Knuth u. a.

Außerdem existieren drei Fernsehinszenierungen:

NWRV/ARD 1959, Regie: John Olden, Darsteller: Gisela von Collande,
Walter Richter, Walter Suessenguth, Charlotte Kramm, Peter Moos-
bacher, Ingrid Andree, Elisabeth Flickenschildt u. a.

WDR/ARD 1969, Regie: Peter Bauvais, Darsteller: Inge Meysel, Rein-
hard Kolldehoff, Paul Verhoeven, Uwe Friedrichsen, Sabine Sinjen
u. a.

ZDF 1979, Aufzeichnung einer Aufführung der Freien Volksbühne
Berlin von 1978, Inszenierung: Rudolf Noelte, Darsteller: Cordula
Trantow, Günther Lamprecht, Will Quadflieg u. a.